巴金散文系列

感想集

山東畫報出版社
济南

图书在版编目（CIP）数据

感想集 / 巴金著. —济南：山东画报出版社，2023.4
（巴金散文系列）
ISBN 978-7-5474-4223-4

Ⅰ. ①感… Ⅱ. ①巴… Ⅲ. ①散文集－中国－现代 Ⅳ. ①I266

中国国家版本馆CIP数据核字(2023)第043515号

GANXIANG JI
感想集
巴　金　著

巴金故居策划

责任编辑　怀志霄
装帧设计　蔡立国

主管单位　山东出版传媒股份有限公司
出版发行　山东画报出版社
社　　址　济南市市中区舜耕路517号　邮编　250003
电　　话　总编室（0531）82098472
市场部（0531）82098479
网　　址　http://www.hbcbs.com.cn
电子信箱　hbcb@sdpress.com.cn
印　　刷　山东临沂新华印刷物流集团有限责任公司
规　　格　130毫米×185毫米　32开
6.25印张　8幅图　6.84千字
版　　次　2023年4月第1版
印　　次　2023年4月第1次印刷
书　　号　ISBN 978-7-5474-4223-4
定　　价　38.00元

巴金1938年冬摄于桂林

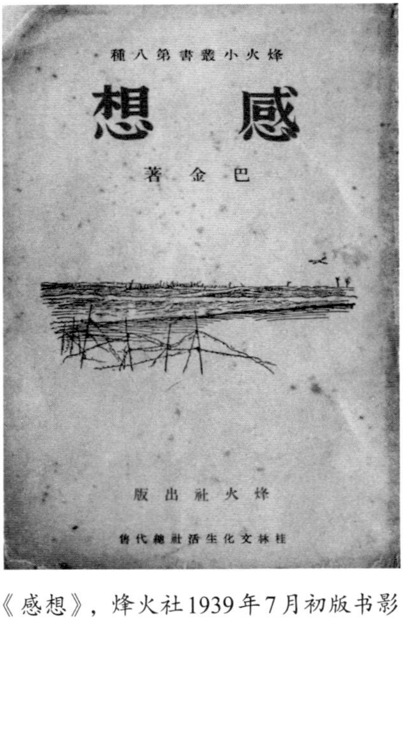

《感想》，烽火社1939年7月初版书影

《无题》，烽火社1941年8月重庆再版书影

《无题》，烽火社1942年1月曲江三版书影

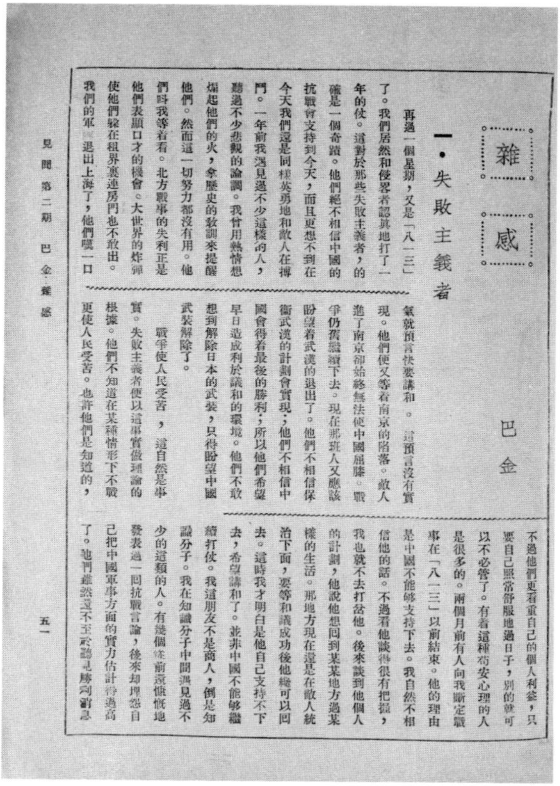
雜感

一・失敗主義者

巴金

再過一個星期，又是「八一三」了。我們居然和侵略者認眞地打了一年的仗。這對於那些失敗主義者，的確是一個奇蹟。他們絕不相信中國的抗戰會支持到今天，而且更想不到在今天我們還是同樣英勇地和敵人在搏鬥。一年前我遇見過不少這樣的人，聽過不少悲觀的論調。我曾用熱情想煽起他們的火，拿歷史的教訓來提醒他們。然而這一切努力都沒有用。他們叫我等着看。北方戰事的失利正是他們表顯口才的機會。大世界的炸彈使他們躲在租界裏連房門也不敢出。我們的軍隊退出上海了，他們嘆一口氣就預言快要講和 。這預言沒有實現。他們便又等着南京的陷落。敵人進了南京卻始終無法使中國屈膝。戰爭仍舊繼續下去。現在那班人又應該盼望着武漢的退出了。他們不相信保衛武漢的計劃會實現；他們不相信中國會得着最後的勝利；所以他們希望早日造成利於議和的環境。他們不敢想到解除日本的武裝，只得盼望中國武裝解除了。

戰爭使人民受苦 ， 這自然是事實。失敗主義者便以這事實做理論的根據。他們不知道在某種情形下不戰更使人民受苦。也許他們是知道的，不過他們更看重自己的個人利益，只要自己照常舒服地過日子，別的就可以不必管了。有着這種苟安心理的人是很多的。兩個月前有人向我斷定戰事在「八一三」以前結束。他的理由是中國不能够支持下去。我自然不相信他的話。不過看他談得很有把握，我也就不去打岔他。後來談到他個人的計劃，他說他想回到某某地方過某樣的生活。那地方現在還是在敵人統治下面，要等和議成功後他纔可以回去。這時我才明白是他自己支持不下去，希望講和了。並非中國不能够繼續打仗。我這朋友不是商人，倒是知識分子。我在知識分子中間遇見過不少的這類的人。有幾個從前還慷慨地發表過一回抗戰言論，後來却埋怨自己把中國軍事方面的實力估計得過高了。他們雖然還不至於講[illegible]

見聞第二期　巴金・雜感　五一

《失败主义者》一文初刊书影

巴金啓事

香港「南華日報」轉載我的文章「公式主義者，」（去年十月在廣州爲「見聞」半月刊作，這是雜感之四後載「宇宙風」，）並未得我同意。我的論據決非賣國求榮的漢奸所能利用。我的口號是「抗戰與改革」，決不是「和平」。在這時候談「和平」，無異乎任人宰割

在《文汇报·世纪风》上刊出的启事

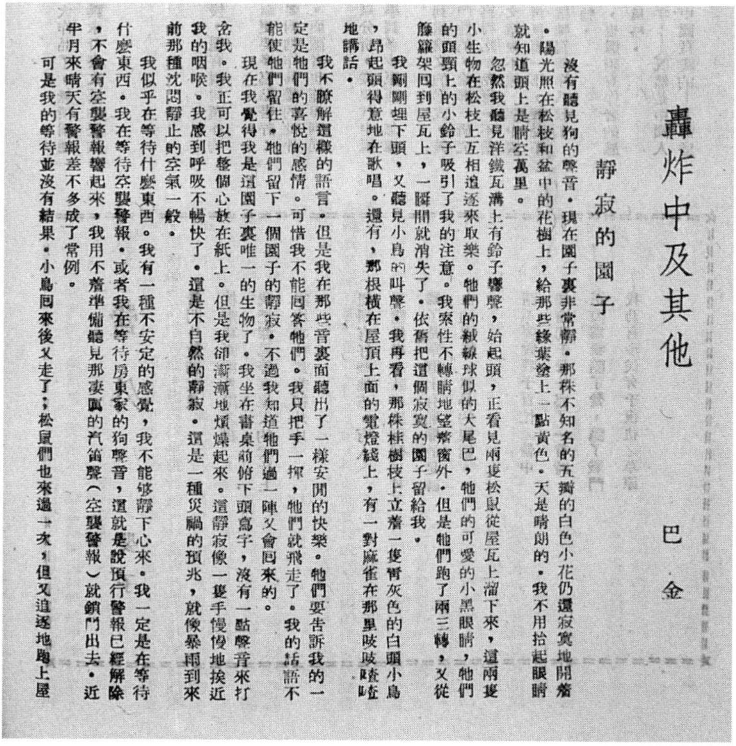

轟炸中及其他

巴金

靜寂的園子

沒有聽見狗的聲音。現在園子裏非常靜。那株不知名的五瓣的白色小花仍還寂寞地開着。陽光照在松枝和盆中的花樹上，給那些綠葉塗上一點黃色。天是晴朗的。我不用抬起眼睛就知道頭上是晴空萬里。

忽然我聽見洋鐵瓦滿上有鈴子響聲，始起頭，正看見兩隻松鼠從屋瓦上溜下來，這兩隻小生物在松枝上互相追逐來取樂。牠們的絨綫球似的大尾巴，牠們的可愛的小黑眼睛，牠們的頸項上的小鈴子吸引了我的注意。我索性不轉睛地望着窗外。但是牠們跑了兩三轉，又從籐籬架回到屋瓦上，一瞬間就消失了。依舊把這個寂寞的園子留給我。

我剛剛埋下頭，又聽見小鳥的叫聲。我再看，那株桂樹枝上立着一隻青灰色的白頭小鳥，昂起頭得意地在歌唱。還有，那根橫在屋頂上面的電燈綫上，有一對麻雀在那裏吱吱喳喳地講話。

我不瞭解這樣的語言。但是我在那些音裏面聽出了一樣安閒的快樂。牠們要告訴我的一定是牠們的喜悅的感情。可惜我不能回答牠們。我只把手一揮，牠們就飛走了。我的話語不能使牠們留住。牠們留下一個園子的靜寂。不過我知道牠們過一陣又會回來的。

現在我覺得我是這園子裏唯一的生物了。我坐在書桌前俯下頭寫字，沒有一點聲音來打攪我。我正可以把整個心放在紙上。但是我卻漸漸地煩燥起來。這靜寂像一隻手慢慢地挨近我的咽喉。我感到呼吸不暢快了。這是不自然的靜寂。這是一種災禍的預兆，就像暴雨到來前那種沈悶靜止的空氣一般。

我似乎在等待什麼東西。我有一種不安定的感覺，我不能夠靜下心來。我一定是在等待什麼東西。我在等待空襲警報。或者我在等待房東家的狗聲音，這就是說預行警報已經解除，不會有空襲警報響起來，我用不着準備聽見那淒厲的汽笛聲（空襲警報）就鎖門出去。近半月來晴天有警報差不多成了常例。

可是我的等待並沒有結果。小鳥回來後又走了；松鼠們也來過一次，但又追逐地跑上屋

《轰炸中及其他》初刊（包含《静寂的园子》和《轰炸中》两文）书影

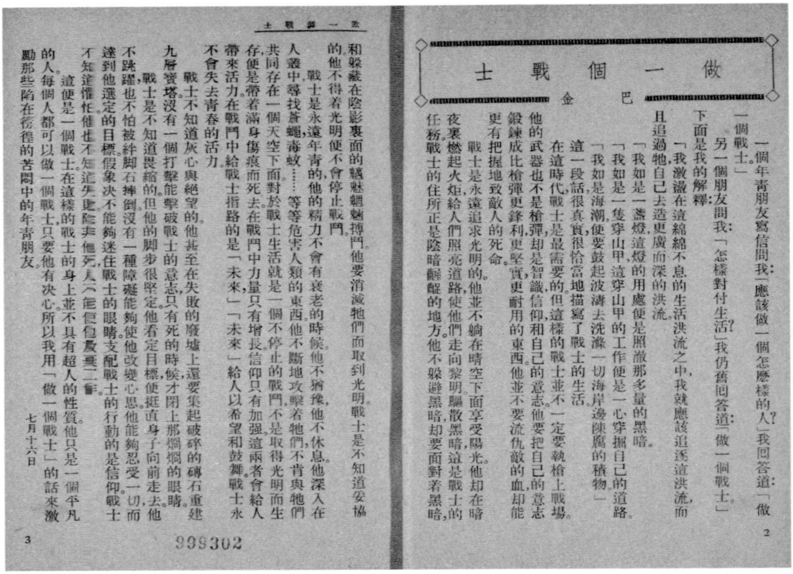
做一個戰士

巴金

一個年青朋友寫信問我：「應該做一個怎麽樣的人？」我回答道：「做一個戰士。」

另一個朋友問我：「怎樣對付生活？」我仍舊回答道：「做一個戰士。」

下面是我的解釋：

「我激盪在這綿綿不息的生活洪流之中，我就應該追逐這洪流，而且追過牠，自己去造更廣而深的洪流。

「我如是一盞燈，這燈的用處便是照澈那多量的黑暗。

「我如是一隻穿山甲，這穿山甲的工作便是一心穿掘自己的道路。

「我如是海潮，便要鼓起波濤去洗滌一切海岸邊陳腐的積物。」

這一段話，很真實，很恰當地描寫了戰士的生活。

在這時代，戰士是最需要的。但這樣的戰士並不一定要執槍上戰場。他的武器也不是槍彈，却是智識，信仰，和自己的意志。他要把自己的意志鍛鍊成比槍彈更鋒利，更堅實，更耐用的東西。他並不要流仇敵的血，却能更有把握地致敵人的死命。

戰士是永遠追求光明的。他並不躺在晴空下面享受陽光。他却在暗夜裏燃起火炬，給人們照亮道路，使他們走向黎明。驅散黑暗，這是戰士的任務。戰士的住所正是陰暗齷齪的地方。他不躲避黑暗，却要面對着黑暗，

和躲藏在陰影裏面的魑魅魍魎搏鬥。他要消滅牠們而取到光明。戰士是不知道妥協的。他不得着光明便不會停止戰鬥。

戰士是永遠年青的，他的精力不會有衰老的時候。他不猶豫，他不休息。他深入在人叢中，尋找蒼蠅，毒蚊……等等危害人類的東西。他不斷地攻擊着牠們，不肯與牠們共同存在一個天空下面。對於戰士生活就是一個不停止的戰鬥，不是取得光明而生存，便是帶着滿身傷痕而死去。在戰鬥中力量只有增長。信仰只有加强。這兩者會給人帶來活力。在戰鬥中給戰士指路的是「未來」，「未來」給人以希望和鼓舞。戰士永不會失去青春的活力。

戰士不知道灰心與絕望的。他甚至在失敗的廢墟上還要集起破碎的磚石重建九層寶塔。沒有一個打擊能擊破戰士的意志，只有死的時候，才閉上那烱烱的眼睛。

戰士是不知道畏縮的。但他的脚步很堅定。他看定目標，便挺直身子向前走去。他不跳躍，也不怕被絆脚石摔倒。沒有一種障礙能夠使他改變心思。他能夠忍受一切，而達到他選定的目標。假象決不能夠迷住戰士的眼睛。支配戰士的行動的是信仰。戰士不知道惶惑。他也不知道失望。除非他死，人不能使他放棄工作。

這便是一個戰士。在這樣的戰士的身上並不具有超人的性質。他只是一個平凡的人。每個人都可以做一個戰士，只要他有決心。所以我用「做一個戰士」的話來激勵那些陷在徬徨的苦悶中的年青朋友。

七月十六日

《做一个战士》初刊书影

出版说明

本书由《感想》《无题》两部巴金自编杂文集组成。正如作者在《〈感想〉前记》中所言，他写这些文字时，“敌机就在我头顶上投弹”，然而，“我对于抗战的最后胜利的坚决的信念，读者可以在这文章里看出来”。

其中，《感想》收作者1937—1939年间创作的文字，作为烽火小丛书第八种，烽火社1939年7月初版，桂林文化生活社总代售。

后收入《巴金全集》第十三卷（人民文学出版社1990年4月版）。

《无题》收作者1936—1940年间创作的文字，系靳以编烽火文丛之一，烽火社1941年6月初版，文化生活出版社、互生书店总经售。大部分篇章经修订后收入《巴金文集》第十卷（人民文学出版社1961年10月版），全文又收入《巴金全集》第十三卷和第十七卷（序跋部分）。

此次据《巴金全集》本排印，个别文字和用法仍保持原貌，并未根据当下编校规范修改和统一。

目 录

感 想

无 题

感 想

前　记

收在这小册里的短文只是一些感想和杂感。它们算不得正式的文章，不过我在那里面说的全是真话。而且我以为我们在这时候应该说真话。

我自己十分喜欢那一篇题作《给一个敬爱的友人》的文章，这是怀着热烈的希望写成的。我写最后一段时敌机就在我的头顶上投弹，但是我终于把它写完了。我对于抗战的最后胜利的坚决的信念，读者可以在这文章里看出来。

巴金　1939年5月。

感　想（一）

——在“孤岛”

我在这里看见了我所要看见的一切，现在我应该走了。

一个十七岁的孩子远迢迢的从天津写信来说：“先生，你也是陷在同样的命运里了。我愿意知道你的安全。”短短的两句话中含着无限的沉痛。我固然感激她的关怀，但是我更惭愧我没有力量去安慰她那渴望着温暖的年轻的心。我没有权利叫人为我的安全耽心。我现在是很安全的，但在这种时候，一个人的安全不过是沧海中的一粟，哪里还值得提说！

我是自由的，没有一种命运能够压倒我，所以，我要到别的容许自由活动的地方去。在这里空气太沉闷了。有人把这里称作“孤岛”，但我说，它更像一个狭的囚笼，有时我觉得连气也缓不过来，在这里真可以说是有一只魔手扼住我的咽喉。

然而在这囚笼中生活着的并不只我一个，这里还有几百万的中国的儿女。土地失掉了，但人民还生存着，他们仍还是不折不扣的中国人，他们并没有在敌人势力下低头的心思。但种种的关系使他们不能够离开这个地方。他们自己是没有过错的，对于这无数的中国的儿女将有一个什么样的命运在前面等着他们呢？还有在马路上抱着书本往来的成千成万的男女学生，我常常看见那些天真的面貌，我常常想念那些纯洁的心灵。于是那个十七岁的天津孩子的信函里的话语，就飘进了我的心头。我倒为我一个人的安全的离开感到羞惭和苦恼了。我苦痛地想：难道我真的不能把这身子变做火柴燃烧起来，给那些年轻的心灵添一点温暖么？我自己太没有力量了。

牵系我的心的便是那无数的年轻的心灵，所以读到天津的来信，我竟然淌了眼泪。但是我绝不是一个失败主义者，我也不是悲观派。真正相信着最后胜利的极少数人中间我应该算是一个。我至今还向朋友们发表我的乐观的论调。然而那些三四个月前高呼抗战、慷慨激昂，以青年领袖、民众领袖自居的人们不是惶惶然逃入安全地带，便是垂头丧气，让汉奸论调征服了他们。连一些大报也渐渐改变了态度。在“孤岛”上的中国人这时候最需要的是对于最后胜利的信念。他们的信念已经动摇了，正需要别人来使它坚定。目前的暗云遮住了每个青年的眼睛，使他们对于黎明的将来失却了信仰。年轻的心常常是脆弱的，经不起暴风雨的打击。他们在失望、苦闷的时候，需要人来给他们一点安慰，一点鼓舞，而且一点温暖，因为现在是寒冷的冬天了。最近还有一个青年朋友在给我的信上说："许多人都离开我们了，我们现在是多么孤独彷徨。谁来领导我们呢？"这也是中国的青年的呼声，还有人愿意给他们一个回应吗？不说领导，就是些微的安慰和鼓舞，对于他们也很可宝贵的。

然而生活在患难中的中国的青年是不应该徒然悲观的。即使那应得的安慰和鼓舞不会来，即使没有人来领导他们，他们也必须在苦难中支持下去，用患难把自己的脆弱锻炼为健强，培养自己的力量，准备迎接那黎明的将来。

那个天津的孩子说得好："我记得*The Count of Monte Cristo*书里的末一句话：Wait and hope我愿意如此。"这Wait自然不是袖手等待的意思。

1937年12月。

感　想（二）*

——在广州

我不知道应该用什么样的形容词加到这日子上面。我不曾分析过我当时的感情。那第一声炮响是我盼望了许久的。它终于意外地走来了。许多朋友在那天早晨感动得疯狂似地跳起来，称这为“神圣的炮声”。我用

---

* 本篇最初发表于一九三八年八月十七日《大公报》。发表时题为《一点感想》。

“意外地”三字，因为那时候我们还不相信我们的“军事当局”已经下了决心要洗尽从前不抵抗的耻辱。上海的炮声扫除了无数的人的疑惑。有人甚至想：大翻身的时候到了。打碎镣铐争取自由，这是人生最快乐的时候，我们居然活到了这一天。以前的一切顾虑束缚都没有了。每个人都可以自由地在大街上喊一声“打倒日本帝国主义”，不仅用口，而且用行动来表现这个意思。于是像发生了奇迹似地在我们同胞中间的隔膜和成见马上消失了。一声炮响把大家连接在一起，使那许多颗心变成了一颗心，彼此不相识的人会在电车里亲密地谈起话来。从陌生的口里不断地送来祝贺的话语。大家兴奋着，希望着，而且开始为那一个共同的目标忙碌着。等不到别人来动员他们，民众自己动员了。宣传、募捐、参加救护工作、扶助难民……还有许多许多。年轻人，中年人甚至老年人都伸出手交出自己所有的东西，而且谦逊地向一些机关，一些团体要求：“给我一件工作，我愿意为这神圣的抗战牺牲我的一切。”这些人的确是不自私的。他们中有的已经舍弃了在闸北、虹口、江湾一带的财产和事业；有的甚至经历了和家族“生离死别”的惨剧。便在“大世界”炸弹事件发生以后也没有人发出一声怨言。大家只觉自己所牺牲的还不够多，他们还应该把剩余的一点力量贡献出来。我看见一个小孩自动地打碎了扑满把几年来的储蓄全交给父亲送到收捐款处去。我看见一个娘姨把她的有限的工钱含笑地亲手送给进来捐款的女学生。我不想多举这一类的例子。要说明“前方将士慷慨牺牲，后方民众热心服务”这是多余的事。每个人都太熟习了。每个人都在那样的日子里生活过，而且有的人（大多数的人）还一直是那样地生活到现在。

我这里说大多数人，因为有些人（极少数的人）在抗战的过程中失去了这种热诚（也许他们从前的热诚便是虚伪的），改变了态度。后来竟然发表古怪的论调或者甚至投降在伪组织下面为侵略者张目。他们的灵敏手腕也许可以在晴明天幕上涂抹几片云雾。但不能蒙蔽世人的眼目。连这云雾也常常被巨风吹散了。在四万五千万人民的巨步下面这些人只是几只蚂蚁。迟早会被踏死的。

现在到了"八·一三"的周年纪念日。虽然我们的抗战已经进入第三期，但我在一年前所看见的即我在前面提过的那一切现象最近都还存在，而且民众的动员也已开始成为具体化了（自然仍还有不少的缺点，但这是可以渐渐克服的）。

就抗战本身来说。这一年来我们的努力也并没有失败。若有人提起失地，我就举出上海做例子，上海在今天还是我们的，和一年前并没有差异。而且我相信在今天我们的旗帜会淹没了上海的租界。比一年前我们在那里能看见的多得多。在上海的四郊时时响着我们的军队的炮声。这事实连敌人也无法否认。这些就告诉我们这一年来我们失去的是些什么，不曾失去的又是一些什么。

一年前近卫要使我们屈膝，现在我们还站得很稳，而日本的脚却陷进污泥里愈陷愈深了。我等着那个东方的法西斯国家的屈膝，我等着那个穷兵黩武的帝国的崩溃。

1938年8月。

第一次听见那炮声

妃格念尔在她的自传里描写了俄国革命党人得到亚历山大二世被刺的消息时的感动。她和朋友们抱吻着互相祝福，同时哭笑。这时候在他们的眼前现了自由的曙光。他们觉得那个多年来笼罩着俄国的梦魇是突然地消失了。

在“八·一三”那天不知有多少中国人怀着这种感动的心情来祝贺那“神圣的”炮

声。这声音是许多人期望了许久的。有些多疑的人因为久等不到就断定它永不会响起。那时北方的天空中正布满了黑焰，许多同胞的生命和事业都毁在华北的大火里，没有人可以伸出一只手去救出一些来。仿佛一个不能挽救的大灾祸就要临到这个民族的头上。年老的束手叹息着我们的劫运。中年人绝望地问自己：应该怎样做？青年奔走呼号想唤醒人们的迷梦。这似乎没有用。希望逐渐黯淡，空气非常沉闷，许多人都透不过气来。不能忍耐的人开始觉得生存是一个痛苦的重荷了。但在这时意外地来了那炮声。它打破了疑惑，驱散了悲观。它甚至像洪钟一般地告诉人说：这些年来扼住我们的咽喉的那只魔手已经被我们甩开了。到这时候我们才可以自由地呼吸一口气，准备去抓住那重新逼近的希望。老年人不再叹息了；中年人不再徘徊了；青年则发见了献身的机会。难道还有比这炮声更可喜的？更令人兴奋的？更能够鼓舞人的？在这炮声里许多人中间的隔阂都立时消失了。若说这炮声把全中国人团结在一起，这也不是夸张的话。所以当时有人称这炮声为“神圣的”。

虽然时间过了一年，我还不能忘记那一天的情景。朋友们如何兴奋地跑到我的房里来，兴高彩烈地告诉我那个我已经知道了的消息。我们谈了一些关于将来的话，又一道出去把这消息告诉别的朋友。我们跑了好几个地方。我们谈着，笑着，大声叫着，又流着眼泪，我们有时对望着，半晌说不出一句话，或者口吃似地重复地说着几个字。我们想，多年来笼罩着中国的可怖的梦魇现在开始消失了。

那时人太激动，我们不多思想，却让情

感奔放。但这一年中的事实证明出来我们当时并不是过于乐观。在抗战中未来新中国的基石的确被奠定了。中国渐渐在改变。中国在前进中，正如西班牙在前进中一样，是不可否认的事实。所以我们也可以把这次的抗战称为革命。

朋友们商议创刊《救亡日报》还是“八·一三”以前的事。那时平津沦陷了，京沪两地弥漫着和平的空气。我为日报写了一篇愤激的文章，题作《站在十字街头》。日报延期出版，我的文章移在《国闻周报》发表了。我在那文的结尾引用了P. 亨利的话：“难道生命竟是如此可贵，和平竟是如此甜蜜，须得用奴隶的镣铐来作代价么？……给我自由，不然便给我死！”

自由或死！正是抗战的中国的呼声。这一年来为着这自由牺牲了生命与事业的人已经是不可计数。然而自由的呐喊只是一天一天地更加响亮。痛苦并不曾动摇了人的决心。甚至连日残酷的轰炸也不能减少广州市民的抗敌情绪。今天、昨天敌机都在热闹市区中投过弹，昨天有人看见二十多辆卡车装载着受伤者到医院。我昨天下午见到那些残毁的房屋，晚上却看见壮丁宣传队拿着旗帜游行街市，旗上写着："八·一三到献金台去。"昨天落弹的地方离献金台并不远！但我知道八·一三那天会有成千成万的人到那里去！

死的威胁并不能闷杀自由的呼声。这样的精神一定可以给我们保证抗战的胜利。

1938年8月。

失败主义者*

再过一星期，又是“八·一三”了。我们居然和侵略者认真地打了一年的仗。这对于那些失败主义者，的确是一个奇迹。他们绝不相信中国的抗战会支持到今天，而且更想不到在今天我们还是同样英勇地和敌人在

* 本篇最初发表于一九三八年八月二十日《见闻》第二期。发表时题为《杂感（一、失败主义者）》。

搏斗。一年前我遇见过不少这样的人，听过不少悲观的论调。我曾用热情想煽起他们的火，拿历史的教训来提醒他们。然而这一切努力都没有用。他们叫我等着看。北方战事的失利正是他们表显口才的机会。“大世界”的炸弹使他们躲在租界里连房门也不敢出。我们的军队退出上海了，他们叹一口气就预言快要讲和。这预言没有实现。他们便又等着南京的陷落。敌人进了南京，却始终无法使中国屈膝。战争仍旧继续下去。现在那班人又应该盼望着武汉的退出了。他们不相信保卫武汉的计划会实现；他们不相信中国会得着最后的胜利；所以他们希望早日造成利于议和的环境。他们不敢想到解除日本的武装，只得盼望中国武装解除了。

战争使人民受苦，这自然是事实。失败主义者便以这事实做理论的根据。他们不知道在某种情形下不战更使人民受苦。也许他们是知道的，不过他们更看重自己的个人利益，只要自己照常舒服地过日子，别的就可以不必管了。有着这种苟安心理的人是很多的。两个月前有人向我断定战争在“八·一三”以前结束。他的理由是中国不能支持下去。我自然不相信他的话。不过看他谈得很有把握，我也就不去打岔他。后来谈到他个人的计划，他说他想回到某某地方过某样的生活。那地方现在还是在敌人统治下面，要等和议成功后他才可以回去。这时我才明白是他自己支持不下去，希望讲和了。并非中国不能够继续打仗。我这朋友不是商人，倒是知识分子。我在知识分子中间遇见过不少的这类的人。有几个从前还慷慨地发表过一回抗战言论，后来却埋怨自己把中国军事方面的实力估计得过高了。他们虽然还不致于听见胜利消息就说是报纸造谣，可是一旦知道重要城市陷落，便偃息旗鼓地坐等和平了。

失败主义者的言行对于我们的抗战前途自然有妨碍。不过它们在目前还不能成为一种力量。而且不等它们成为一种力量，事实就会将它们打碎。屈辱的和平是每个爱自由的中国人所不能接受的。谁提起它，谁就会被全民族唾弃。到现在为止，还没有一个失败主义者敢公开地将他的议论发表。以后恐怕也不会有的，因为这和全民族的要求违反。谁又敢为了自己的利益公然地主张出卖民族的利益呢？

我说过抗日是一道门，我们要生存要自由，非跨进这道门不可，至于进了门往哪条路走，那是以后的事了。目前抗战是第一义。我们应该牺牲一切，使抗战胜利。

一年自然不是长时间。然而到现在我们的抗战力量丝毫没有动摇。从各方面的情形看来，我们倒是“越战越勇”了。事实坚定了我们的最后胜利的信念，事实也会粉碎失败主义者的言行。

1938年8月。

国家主义者*

我们都知道西班牙的战争不是普通的内战，而是一个革命。我以为中国这次的抗战也含有革命的意义。这一层已经有许多人明了了。但也有一些人还不曾注意到，我想在另一节杂感里谈谈它。

---

* 本篇最初发表于一九三八年九月五日《见闻》第三期。发表时题为《杂感(二、极端国家主义者)》。

我听见一些人的谈话，我看见一些人发表的文章。什么“杀尽日本人”，“杀到东京去”，“把朝鲜拿回来”之类的话都有。还有人希望中国在这次抗战胜利之后，就要征服日本，征服世界。

这种极端的国家主义者的见解和失败主义者的论调是同样要不得的，同样对抗战前途有妨碍的。中国的抗战是为着抵抗日本帝国主义、法西斯主义的侵略而起的。事实上就以反帝国主义、反法西主义为号召。中国的抗战是为着求自己的生存，谋自己的独立。这目标里并不含有一点侵略的野心和征服的欲望。所以说我们是为正义而战，这并不是自夸的话。

我们不是好战的民族，甚至在今天，我还觉得“好战”并非可奖励的事。然而当我们的自由被剥夺，生存受到威胁时，忍辱苟安便成了一种不可宽恕的罪恶，它害了自己还不够，并且会连累别人，甚或贻祸子孙。我们这许多年来所忍受的耻辱，所经历的灾祸，以及近一年来在抗战期间所贡献的那么巨大的牺牲，这一笔欠账还是满清的统治者和甘愿在那横暴统治下做奴隶的我们的祖先留给我们的。现在必须用我们的血来把债偿清，我们才可以获得自由。我们将来留给我们子孙的应该是一个光荣的遗产，而不是一笔欠债。忍辱偷安的生活是债，以武力建立的霸业也是债。征服别的国家，征服世界，那是侵略者的迷梦。日本的统治者整天都生活在这样的好梦里。我们现在竖起抗战的大旗来偿还从前的忍辱偷安的债。日本的统治者，遣派大军远涉重洋来实现侵略的企图，也是在偿付从前的穷兵黩武的债。我们还了债可以得到自由；他们还了债则趋向灭亡。

忍辱苟安违反了所谓人类繁荣的法则；穷兵黩武也违背了它。所以中国不抗战则必灭亡；日本继续侵略也必归于毁灭。武力并不能征服人类繁荣的法则，它倒会被那法则征服。这是千真万确的道理。一时的阴云虽然可以遮蔽天空，但一阵大雨又能洗出一个清明的世界。

杀到重庆摧毁了中国的抗战力量，使中国沦为殖民地，这正是日本侵略者的好梦。可惜梦景不会成为现实，将来日本的军阀政客只好抱着作战计划和什么立国论之类含恨饮泣地进到坟墓里去。这正是他们的宿命。

“一·二八”抗战停止后我曾在江湾立达学园的墙上，看见日本兵士的手迹，是“打倒支那，不残一人”八个大字。这是日本人的汉文。“残”不是“残害”的“残”，而是“残留”的“残”。意义很明显：打到中国不留下一个人。这正是侵略者的梦中最“奇丽”的一景。而作为反侵略者的我们则向着海那边的劳动者喊出了口号：“弟兄，去打你们自己的敌人，不要来打中国的兄弟。”我们和侵略者的不同，从这里也可以看出。我们说，来中国作战的日本兵士是我们的敌人，发动这次战争的日本的统治者是我们的敌人，积极支持这战争的日本社会各种领导人物是我们的敌人，这都不错，我们必须将他们打倒！对于在那边也受着压迫的无数和平的劳动者，则我们有将他们唤醒，使他们起来和压迫他们的统治者算账的义务。若有人问用什么东西唤醒日本的劳动者，我的回答是“我们的抗战！”，这不是一句空话，欧洲大战中德俄两国的结局便是日本的命运。

在今天没有一个民族能够将另一民族打倒而“不残一人”的。十九世纪末期与二十世纪初俄国的“坡格隆”，和最近德奥两国的排犹运动，并没有收到多大的效果。日本的野心家想“打倒支那，不残一人”，而最后将他们送入坟墓中去的必是这些“支那人”。我们不必梦想杀到东京去。我们只要能够将侵略者逐出国境，则在那边必有他们的敌人等待着他们。尼古拉二世是死在他所统治的俄国人手里的。坦能堡一战，种了爱加特林堡悲剧的因。安知我们的保卫武汉的大战不会产生一个东京的悲剧？倘使我的揣测不错，这悲剧是不要经我们的手而演出的。

在这悲剧演出之前或后，朝鲜是应该见到黎明，得到自由了。朝鲜的独立必是我们抗战的结果之一。这是自然的事。目前朝鲜的兄弟正参加着我们的抗战，将来我们也要帮助他们夺回自由。关于这方面我下次还有话说。至于想把朝鲜拿回来放在中国保护之下，那是极端国家主义者的梦想。

极端国家主义者和侵略者中间的差别很小。我们不想做侵略者，所以我们应该纠正这种错误的极端国家主义者的观念。

1938年8月。

最后胜利主义者*

在中国有短视的人，有性急的人，有些人根本看不起自己，有些人又把自己看得太高。还有人把什么事情都看得十分简单，十分容易。也有人把一切人力做得到的事情认为是不可能的。

---

* 本篇最初发表于一九三八年十月五日《见闻》第五期，发表时题为《杂感（三、胜利主义者）》。

我们有患恐日病的“日本通”，也有把近代日本仍视作倭寇的自大主义者。我们有失败主义者，也有胜利主义者。

这些胜利主义者又可以被称为最后胜利主义者，因为挂在那些人的口边的，永远是“最后胜利”四个字。

我前些时候，和一个人谈过话，他是我的一个朋友的朋友。去年上海还未沦陷时他对我的朋友说，上海可以守一年，但不久国军就撤退了。后来他又发表南京必守的宏论。他不是说应该守，他是宣传可以守，而且守到某一个时期日本帝国就会崩溃了。他对于抗战的前途是如此乐观。他好像比谁都更有把握。这一次在久别后和他遇见，他和我谈起保卫武汉的事，仍然是那两句口头禅：“抗战第一”，“最后胜利”。他劝我不要管任何事情，只是闭着眼宣传“最后胜利”就够了，因为在这时期，除了“最后胜利”外，其余的一切我们都不需要。

这位先生的确是一个最后胜利主义者。在这时候许多慷慨激昂的宣传家、政论家都撤退到重庆和昆明了，有些未撤退的热心之士也发出了悲观的论调，他还能够保持着他的信念，倒是值得佩服的。他有着如此坚定的信念，那么他对于“最后胜利”也一定有非常透彻的了解了。但是我和他谈话以后才知道事实并不是这样。他对于“最后胜利”只有信仰，并无了解。他相信我们会得到最后胜利，却不知道我们应该怎样去争取最后胜利，也不明白我们怎样会得到最后胜利。

“抗战第一”和“最后胜利”这两个口号并不错误，但它们的意义却不像最后胜利主义者所解释的那样狭隘。使全国民的努力集中在一个目标上面，每个国民要贡献出他的最好力量：所有的人忙碌地工作以争取最后胜利。抗战需要着各种力量，也需要各方面的工作。最后胜利并非像奇迹那样地从天上落下来，却应该由全个民族不顾一切地努力去争取它到手。士兵在前线浴血是在参加抗战；工人在后方工厂里劳动也是在参加抗战。生产、建设、交通、教育……等等在抗战期内的任务比较在平时更加重大。在轰炸的威胁下热诚服务的各城市的各种小职员也许不会被人重视，但是他们对于抗战的功绩却是不可抹煞。难民需要教养，交通需要维持，生产需要增加，边疆需要开发，各项建设需要积极进行，文化工作也需要展开……还有许多许多，这些问题不解决，最后胜利决不会到来。要支持长期抗战，仅仅注意军事力量是不够的。近代战争的决胜点并不单在战场上。日本军阀不能使中国屈膝，正因为中国有着广大的后方。这广大的后方也是中国的抗战的力量。要好好地利用这个力量我们才可以得到最后的胜利。至目前为止的前线的失利之所以不能影响战局，也因为我们有着这广大的后方。这可见为着抗战而建设后方的工作是如何迫切地需要了。至于盲目地宣传最后胜利，那倒是毫不重要的。

最后胜利主义者谈“抗战第一”时，眼睛只望着前线；谈“最后胜利”时，他只等待着日本军队的崩溃（或者等候威尔斯的预言的实现）；现在谈“保卫大武汉”他却看不起民众动员这样重要的工作。

据说希特勒是糊里糊涂地变成了英雄的。

这且不管。我们那位胜利主义者倒可以说是糊里糊涂地相信了最后胜利的。

别的话下次再说，这里只算说了一半。

1938年9月。

公式主义者*

“抗战的八股文，读得太多了，渐渐地叫人讨厌起来”，这是一个朋友最近对我说的话。其实向我发表过这样的意见的人不只他一个。

我前些时候买到一批新刊物，约有七八

* 本篇最初发表于一九三九年三月一日《宇宙风》乙刊创刊号。

种，我把它们从头到尾地翻阅，结果我觉得仿佛只读了一篇文章。起初我很惊奇，我禁不住要责备自己的鲁钝；后来我才恍然明白：那许多文章有着差不多的内容（要说它们只有空架子，没有内容也未尝不可）。到这时我才相信那朋友的话是有道理的。

公式文章是这样写的：——头一段述日本征服中国征服世界的野心，与夫积弱的中国如何受强邻侵略而忍辱偷生；第二段述中国由发奋图强而至发动抗战，引起全世界的尊敬；第三段述抗战的各阶段；第四段述日本帝国的即来的经济的与军事的崩溃；最后结论是“最后胜利必属于我”。

写这种公式文章的人自然和我上次说的“最后胜利主义者”是一类。不过，这中间还有一点小小的区别。我那位朋友的朋友真是准备着死守武汉，而写那些公式文章的人却早已连人带刊物地一起搬到重庆或昆明去了。他们似乎是用搬家来对付敌人，以后也许会再搬到巴安或拉萨去坐等最后的胜利。

倘使单靠“坐等”的话，那么谁也不会看到最后胜利了。幸而我们这民族里面还有着不少知道怎样去争取最后胜利而且用热血去和侵略者相拼的人，所以最后胜利的希望还悬挂在我们的前面。但这和我们那些公式主义者是无关的。我把专门写上面那种公式文章的人称为公式主义者，以别于“最后胜利主义者”。

“公式主义者”不像“最后胜利主义者”那样糊里糊涂地相信着一两个简单的口号。他们的特长是不相信自己所说的话，也就是不相信自己叫人相信的话。他们常常用自己的行动来推翻自己的主张。所以，最先从武汉撤退的便是高叫“保卫大武汉”叫得最响亮的人，正如上海沦陷后仓皇地化装逃走的人就是那些慷慨激昂高唱上海必守论的民众领袖。他们写出来的是一般人承认的公式，他们所顾念的却是自己切身的利益。别人都愿意听那样的话，别人都说惯了那样的话，自己照样地说一遍，没有什么不可以。反正话是好听的。说过写过之后似乎责任已尽，他们回到家里仔细一想，又觉得胜利渺茫，一听到不好的消息，便以走为上策。他们在另一个地方又开始这公式主义者的生涯，再叫出保卫这地方的口号，鼓动民众做保卫的工作，但等到这地方真该保卫时，他们又会首先搬到更远的地方去。

从这种事实看来，我觉得要是单靠公式主义者的笔和口来争取最后胜利，这胜利的确是很渺茫的。但这也并不是说获取最后胜利必须单靠军事的力量。我上次便说过近代战争的决胜点并不单在战场。政治机构的改革，和有计划的动员民众，是抗战的老鹰的翅膀。没有翅膀老鹰便飞不起来，这是谁也知道的事实。然而现在一般人却要老鹰不用翅膀飞。最后胜利主义者和公式主义者便是这类人的代表。

我们现在都喜欢谈西班牙，玛德里的保卫战更被人常常当作奇迹似地讲起。但是大家却忽略了：在那边战争和革命同时进行着。西班牙的叛军不能成功，只是因为在政府军方面民众动员的工作做得很好，而且“革命”逐渐在生长。西班牙政府是用了志愿兵来和叛军作战的；保卫着玛德里的也是从前并未受过军事训练的西班牙的民众。但玛德里的保卫战已经支持了将近两年了。

我们的壮丁被留在沦陷区给人活埋，我们的民众被逼迫给人服役（筑路、筑工事、运输东西），这正是我们不会运用自己的力量的过失。不能因此就抹煞了那巨大的民众的力量。要将这力量组织起来，在必需的场合使用它，我们过去的政治的机构是不行的。我们在这方面需要着大的改革，事实上已经有部分的改革实现了。

从这里我们便明白：笼统地说一句“抗战第一”，其实等于不说，因为意义太含糊了。我们应该叫出的口号是“抗战与改革”！这两者是应该同时进行的。从前的革命家说过，“要民众饿起肚皮革命是不行的”。同样我也以为要人保卫一件东西，必须让他知道这东西是值得保卫的。倘使叫一些人流血，而让另一些人得利，像目前这样一些人为抗战牺牲生命，在抗战中受苦，而别一些人却借抗战发了财（在抗战中获利的人是不少的），倘令这种状态永久存在下去，则最后胜利属不属于“我”，都有问题了。这一点甚至在前线浴血苦战的军人也感到了的。而且他们已经吃了这个的亏。所以他们比任何人都更迫切地感到动员民众的必要。而在后方作文的人倒糊涂起来了，因为他们离战争太远，他们看战争和看西班牙战争影片没有两样。

“惩治贪污”的口号也不是从公式主义者发出来的，但它却非常适应目前的需要，而且已经开始被实行了。“贪污”和“腐败”常常阻止民众参加抗战。所谓“不准抗战”，并不是一句笑话，在内地的确有些当权者不准人民做抗战的工作。其实不仅在内地，便是在上海，南市的两万石米怎样会落到敌人的手里，许多小工厂怎样不能从苏州河北岸搬出来，而必须化成灰烬，这些惨痛的事实差不多每个上海的同胞都会含恨切齿地告诉你们。

产生贪污与腐败的政治机构不改革，剥削民众的设施不终止，减削自己力量的事实一再发生，那么便是军事的胜利也还不能保持，最后胜利更不会到来了。

最后胜利是大众的。倘使这目标不能得着大众一致的拥护，则最后胜利便不会到来。我们要全体人民一致地拥护这个目标，必须向他们保证最后胜利会带来普遍的，大众的幸福。第一，腐败与贪污的事实便须永远根绝。

“活不了啦，我老到了六十岁，先生，你看，出了钱就是匪也可以保出来，没有钱你就千真万确不是匪，要砍头！而且每回每回一有军队过路，就排家排户的派粮食。你们这回也一样。他是得了一大笔钱了的。我们哩，一个烂眼钱也见不着！”

这是小县里一个“老掌柜”对联合大学

学生们说的话。“那爬满了一条条皱纹的脸颊上隐藏着一层深深的忧郁”（借用向长清先生的话，原文载《烽火》旬刊）。这忧郁是内地无数安分小百姓的普遍的忧郁。这是抗战前途的绊脚石，它们倒是十分可怕的东西。我们要获取最后胜利必须将这些绊脚石搬开。否则一味地空谈最后胜利。简直是在睁起眼睛做梦。

这只是一端。各方面都应该改革，我们不能一一举例。至于伍特丽女士在最近一篇演说里所指出的前方救护的不完备，这方面的改革更是十分迫切的了。

这里还未说到民众动员的事。

然而这一切都是公式主义者所没有谈到，或者不想谈到的。

1938年10月。

〔附录〕巴金启事*

香港《南华日报》转载我的文章《公式主义者》(去年十月在广州为《见闻》半月刊作，这是杂感之四，后载《宇宙风》)，并未得我同意。我的论据决非卖国求荣的汉奸所能利用。我的口号是“抗战与改革”，决不是“和平”。在这时候谈“和平”，无异乎任人宰割。

---

* 原刊于一九三九年四月十七日《文汇报·世纪风》。编印《巴金全集》时附录于此。

略谈动员民众与逃难

在广州失陷、武汉撤退的今天，失败主义者、妥协论者之类应该又有抬头的机会了。每一次抗战局势发生变化，动摇分子就不断地在外面散布流言。这流言在很短的时期里也许会骗得少数头脑单纯的人的相信，但不久便为铁的事实所粉碎。事实明摆在我们眼前，在今天比在任何时候都更显明：我们除了继续抗战而外并无别的生路。

我不想在这里谈这个问题，因为已经有人反复地详说过了。对于抗战我们是不应该有一点疑惑的。我们目前要注意的问题乃是如何使抗战“必胜”。这问题是多方面的，我只想谈谈我所知道（或者说我所感到）的一点。我想先谈一点关于动员民众的事。

最近我差不多每天都听见人谈起动员民众的话。民众两个字是常常挂在某一些人的嘴上的。但是我觉得在抗战的一年中最被人忽略了的仍还是民众。

这不是愤激的话。我们如果以一个平民的资格往各处去看一下，我们便知道在这时期受苦最大的是些什么样的人。民众在口头上在书本上受人尊重，在生活里却受人践踏，而且他们所身受的痛苦至少有一部分是不必要的，可以避免的，抗战以来我们的民众的力量并不曾好好地被使用过。譬如我们在各处都看见一个标语：有钱的出钱，有力的出力。然而事实却和这不同。有钱的人既未尽力出钱，有力的人出力也不多。我以为若说“一部分人抗战，一部分人逃难”，倒是近于事实。逃难的自然是民众。但也有很多的例外，便是在某一些区域内民众并不逃难，却帮助正规军或游击队抗敌。

“民众逃难”，这句话自然有点不漂亮，但是对于这事情我觉得我们没有掩饰的必要，而且也没有理由去责难民众。从敌人方面的记述，或第三国新闻记者的报告，我们也知道我们的平民落在敌人手里大半会得着惨酷的命运。敌人自己曾将他们活埋我们的壮丁，斩杀我们的青年，奸淫我们的妇女的残酷行为视作皇军的伟绩而摄影流传。许多人都见过那些“不朽”的照片；至于文字记载中表现的虐杀狂的事迹更令每个有良心的中国人读后发指。我们立誓为牺牲者报仇是一件事。还有一件更重要的事便是使未死的人不要也落进那样的火坑里。没有一个人愿意他的同胞白白地牺牲在敌人的魔手下面。我们正祈祷着每个同胞能够尽可能的“逃”掉这个“难”的。自然这意思是和胡乱奔跑不同。

“疏散人口”，“疏散妇孺”的话语常常见诸各地方当局的布告。告示中再三叮嘱，叫人民不要“自误”。但是因为交通工具的缺乏，一纸布告又非缩地奇方，有秩序的疏散无法实现，民众便在混乱的局面下开始逃难。逃得快的，虽然历尽辛苦，还可以保全身家性命；逃得慢的那结果便不堪设想了。

要人民疏散却不给他们一条路，不说交通工具大部分被垄断，连为徒步撤退者竖立的指路牌也不见一块，在这次广州的事变中民众被忽视的程度可说是达到最高点了。报纸上不断地刊载着广州市内发生的惨剧，敌人的枪刺不知又多染了若干我们同胞的赤血。但这决不是不可避免的牺牲。那许多无辜者的生命是糊里糊涂地被断送了的。

这次我在广州看见了一些事情，我是十月二十日晚上离开广州的。据说第二天下午敌人的先锋队便进城了。海珠桥的炸毁则是二十一日上午的事。我离开广州的时候，那个都市里至少还有一二十万的居民，其中的大部分是想走而走不了（搭不到车和船）的。在二十日的晚上谁也想不到第二天上午在那里就会发生一个惊天动地的巨变。当天的报纸上明明载着战事顺利的消息，人看不见一点暗示暴风雨就要到来的朕兆。但是黑夜一过，一切都改变了。下面是一个身经目击者的报告：

二十一日早晨我们还到公园散步。回来忽闻炮声隆隆，初尚以为是国军试炮，但再细听，则密集的步枪声大作，自远而近，好似万马奔腾。我们带着紧张的心情往街上一看。啊，人山人海狂潮般的奔跑。兵士和警察也杂在里面。同时浓烟笼罩了整个广州市。

当时我们太惊慌了，把门关上，什么也不拿，单身便跑。长蛇般的行人都是逃难者，扶老携幼，母亲唤儿子，哥哥唤弟弟，一齐向海珠桥进发。我们到了河南，河北的黑烟滚过来，扑进鼻里，干燥难耐。

何去何从，只有天晓得，逃难者中间很少有人知道去路的。当局连市民最后逃难的路线也不好好地插上指路牌，逃难者都很愤慨。我们过桥后不到半点钟，许多人都说海珠桥炸断了。同时我们也听到的大声音，又看见浓烟一股一股地升起来。敌机不停地在河北投弹。几辆救火车驶过，满载着行李和消防队员，到这马路的尽头，把东西卸下便弃车跑了。河北的大火却没有人管，许多逃狱的囚犯脚上带着脚镣一步一步地往前跑着。

渡河时大家腿靠腿的拥挤不堪，我们等了一点多钟，还不能够爬上船，可是跌入河里去的人，我在这短时间里看见的就不下十四个。有一个妇人背负着她的孩子，孩子淹死了，她自己也是一个落汤鸡，只顾在那里啼哭。然而没有一个人对她说过一句安慰的话。船驶到河中，纸厂又被炸了，这回是亲眼看见，隆隆的巨响把江水也震动了。……

这里面没有一句假话，写这信的是一个诚实而勇敢的人，甚至在敌机大轰炸广州市的时候，他也不曾停止过他的工作。他的朴质的笔写不出夸张的语句。这应该是可信赖的文件，不像我们这次在西江沿途听来的传言。读完这信函，我觉得广州的失陷是一个奇迹，或者更可以说是一个解不透的谜。但有一件事情则是大家知道了的：人民的损失重大。单拿各书店的损失来说，那数目也就可观了。然而我更关心的却是十月十×日参加火炬游行的八万壮丁，还有那许多来不及退出的年轻妇女。我希望有人告诉我：他们现在落在什么样的命运里面。

在广州有秩序的撤退并不是不可能的（倘使这城市必须放弃的话）；现在却只看见混乱的逃难。这是人的过失。对于这事情谁应该负责，我想每个人都知道。因了这过失许多无辜者的生命便徒然牺牲，不曾索回一点代价；在我们的损失单上又添加了这一笔巨大的不可补偿的损失。

我们本可以避免这样的不必要的牺牲，因为这已经不是第一次或第二次了。在我们的眼前尚留着好些惨痛的先例。想不到如今还有人偏偏要蹈那覆辙。倘使能够挽救这些巨大的损失，把它们用在抗战上面，则我们的抗战的力量会大大增强。这一点我相信，是没有人能够否认的。

但是我们终于让许多力量白白地耗费了。甚至可以说是我们自己在减轻、削弱我们的力量。有时候我们甚至只在表面上用功夫。譬如说“动员民众”，往往只是一个空洞的口号，很少有人真正想或者能够把民众组织起来。在某一些地方，负责的人抱着关门主义，这就是说自己不能够动员民众，却又不让别的有办法的人去做动员的工作。

有一些近视的人会责备民众逃难，其实他不曾明白要是“民众动员”真的成为事实，则民众不会狼狈地逃难的。到十月二十一日还留在广州的人其中有一部分便是想在那里做救亡工作，甚至准备在那里参加巷战保卫家乡的，但结果除了仓皇奔跑外别无其他的路。走得稍迟一点，说不定会做了敌人满足虐杀狂的对象。他们的初衷，决不是如此。所以民众的逃难是无可非难的。应该受责备的倒是那般负责动员民众而不能尽责的人。

逃难决不是一件容易的事。我们单看广州市经过许多次的轰炸后还有那数十万的居民这事实，便知道我们的民众是不喜欢逃难的了。但是惨苦的命运逼迫着他们逃难。慷慨激昂地和敌人搏战而死，这并不是可悲惜的事，然而徒手就缚地被敌人残杀，那便是不幸的灾祸了。勇敢的人愿意做雄狮，却不肯做羔羊。一个人逃避这样的结局，他的行为是正当的。我们若不能帮忙组织民众，使他们武装起来，而徒然责备他们不该逃难，这是不公道的。

我并不鼓励人逃难。事实上逃难者只是一小部分的人民，而且他们已经受到严重的处罚了。后方的社会对于逃难者可以说是一个陷阱。他们在那里得不到所期待的同情。相反的，好像一旦落入陷阱就成为受人剥削的掌中物。有人把逃难者视作猪羊，抓住就想择肥而噬。“八·一三”以来我在各处都看见同样一件事：一部分人逃难，另一部分人发财。所谓发国难财，大半是从逃难者身上剥削来的。我碰见好些逃难者，他们从江浙富庶之区逃到西南，不知走了若干的路程，到现在喘息未定，却已到了身无长物的地步了。他们的劫余的财物全部入了舟车公司、房东、旅馆老板等等的囊中。在敌人的抢掠之外还加上同胞的层层剥削，对于逃难者这样的处罚已经是够严厉的了。这处罚也许有它的存在的理由，但由房东、旅馆主、舟车公司等等做执法官却不能使人心服。

最使我感到惊奇的便是一个城市失陷以后另一些城市里的物价便突然增高，尤其是旅馆不近情地提高房价降低待遇，对于过往的旅客除了要钱而外再不知道别的事情。我看见好些诚实的小商人受着坏的待遇，而掏出他们的最后一点钱。没有见谁对这事情加以取缔，仿佛这是天经地义。安居后方的人冷眼望着沦陷区域中逃出来的同胞，真若秦人视越人的肥瘠，一点也不关心。但能够得到这种待遇的人已经算是相当幸运的了。露宿在街头被雨淋日晒，终日不得一饱的人也并不是没有的。还有一些便牺牲在颠沛流离的逃难途中。纵说我们现在没有余裕谈到同情，但是我们能够说抗战不是全民的工作？或者放弃一个城市同时便须连这城市的民众也放弃？倘使不是这样的话，那么过去的错误便应该加以纠正了。

眼前的事情也许会叫人看不清楚，但历史的教训我们是不该忘记的。民众始终是推动历史的一个巨大的力量。离了民众便不能完成任何伟业。抗战也不能是例外。现今民众拥护抗战，抗战也需要民众的力量。我们正应该切实地动员民众、组织民众，好好地运用这个力量。千万不可以和民众隔离，让他们自己去找寻生路。

许多人羡慕玛德里的防卫，却少有人明白玛德里之所以守得住，那是靠着民众的力量。在那地方民众是真正地动员起来了的。

在西班牙是行动第一，事实第一，标语口号次之，所以他们成就了保卫玛德里的伟业，使敌人的精锐部队和最新式利器成为无用。

我们正应该学这个榜样。

话说得太多了，有点不中听。那么就在这里带住罢。以后若有机会，我还要饶舌的。

1938年11月。

和平主义者*

我已经谈过失败主义者、国家主义者、最后胜利主义者、公式主义者，现在应该谈和平主义者了。

其实这时候在“和平”下面加上“主义者”三字是有点滑稽的。汪精卫和他的公司

* 本篇最初发表于一九三九年五月十六日《宇宙风》第七十八期。

之所谓和平是没有主义，而且也是没有内容的，这就和他们从前写的抗战文章，发表的抗战演说一样。不管汪精卫的艳电和以后的谈话也好，或是林柏生、陶希圣之流的文章也好，都是没有内容的，说来说去，无非替敌人担负一半责任，轻轻一笔就把戎首的罪名挑到自己民族的肩上。这对于主子当然算是尽了力，可以报销了。但是对于我们，这些话就等于没有说。他的和平是什么，我们始终不明白。而且，在他们的东西里面根本就没有“和平”。有的只是投降。

有人说汪精卫系的文章是写给日本人看的，这话也很有道理。我想他们的文章日本人看了，一定比看日本人自己写的东西还痛快。日本人想说的话，他们都说了，日本人想说而觉得有点碍口的话，他们也毫不为难地说了出来。陶希圣以“说老实话”自负，可惜他忘记了自己是中国人还是日本人。他说，“老实话从今已矣。”其实他自己就未说过老实话。而且以后连中国话也不会说了。

在中国失败主义者是不少的，失败主义者看轻自己民族的力量，经不起任何失败的打击，他们胆颤心惊地整天做着和平的梦。等着和议成功，他们便可以像从前那样地过着舒服的日子。但是他们究竟还是中国人，他们只是希望讲和，他们却不敢做和议的运动，而且更不会替敌人分担戎首的罪名。

这种失败主义者的言行对我们的抗战前途自然是有妨碍的，不过也不会有多大的影响。因为正如我在《失败主义者》中所说：“不等它们成为一种力量，事实就会将它们打碎。屈辱的和平是每个爱自由的中国人所不能接受的。谁提起它，谁就会被全民族唾弃。到现在为止，还没有一个失败主义者敢公开地将他的议论发表。以后恐怕也不会有的，因为这和全民族的要求违反。谁又敢为了自己的利益公然地主张出卖民族的利益呢？”

倘使有这样的人的话，他们一定是认贼作父的汉奸。然而现在，汪精卫、林柏生之流出现了，他们便是以这样的姿态出现的。陶希圣以“卖国求荣”为老实话，李圣五拿勇于作汉奸的勇敢自豪，林柏生倡抗战亡国论为敌人张目；秦桧成为民族英雄，项羽被视作自取败亡的殷鉴。文化人陶希圣、李圣五等等的尾巴终于露出来了。这并非时代无情，倒是自甘堕落。还有那些躲在角落里吱吱喳喳的魑魅魍魉有一天也会被照妖镜照出原形的。那时他们将无所逃遁了。

抗战是中国的唯一出路，“和平”或中途妥协才是自取败亡。慕尼黑协定并不能保障捷克的独立，反而促成它的解体。这便是不战而亡的最好的例子。空谈和平的人结果永远得不到和平，倘不先使自己变成了奴隶。

我们发动抗战，原是有目标，有主义的。我们已经在最困苦的环境中支持了二十一个月，今天正是我们越战越勇的时候，我们的军事的和政治的主力都未被敌人击破，我们还有着那么广大的后方，那么忠诚的人民，而且我们的长期抗战已经开始把侵略者拖进了泥淖，他们在疲于奔命的当中多少现露了败亡的征象。这时候希望的确在我们的前面远远地发光了。我们更应该拿出信心和勇气向着抗战的目标前进。每个中国人都应该这样做的。但是汪精卫之流却在这样的时期出来谈和平，甚至运动和平，而且躲在中国人民的力量达不到的地方，作鬼鬼祟祟的活动，这行为就表示出来他们是违反了全国人民的意志，并且受着全国人民的唾弃的。他们眼前也许只有敌人给他们预备的利禄，却忘记了他们是在给自己挖掘坟墓。

我抨击过我在抗战的城市中见到的黑暗面，我抨击过内地官僚的贪污，认为这是抗战的绊脚石，我更指摘过那班在这面前闭着眼睛的人，我叫出“抗战与改革同时并行”的口号[①]。但是我的论据决不是那些看轻自己

① 有人误把抗战文章和所谓“抗战八股”混为一谈，耽心反对“抗战八股”便会被论客利用去“消灭抗战”。其实这是过虑。我们的神圣的抗战决非任何“论客”的文章和阴谋所能消灭。“论客”可以变节投降，但是抗战仍会继续进行。因为现在作为抗战之主要支持的是民众，而非“论客”。民众对抗战的认识已经比较一般知识分子清楚许多。我见过各地老百姓在敌机威胁下和敌人包围中怎样忠诚地为抗战工作，又怎样毫无怨言地贡献了巨大的牺牲，我也知道他们对抗战中的改革的渴望。因为这样的改革虽然不会给“论客”们带来好处，却会减少民众的一些不必要的牺牲。论客们不说民众需要改革，这是他们自己讳言改革。他们不了解民众，却侈言“教育”民众，其实他们自己倒应被民众“教育”。民众为抗战尽过大力，而且以后还要更忠诚地尽力的。（转下页注）

民族，出卖民族利益换取利禄的人所能利用。铲除卖国求荣的汉奸便是第一件重大的改革。这改革已经是部分地实现了。汪精卫之流的被全国唾弃，对于抗战的前途倒是很有利的。

汪精卫、林柏生、陶希圣之流大概不久便会被人忘记罢。这倒是他们的幸运。否则像秦桧那样被铸成铁像，跪在西湖岳王庙里承受万人的吐沫，那真是遗臭万年了。

1939年4月。

（接上页注）在今日的中国，有两种人可以说是对得起国家民族：一是民众，一是军人。至于咬文嚼字的“论客”，则只有让他们自己去写表功的文章，横竖不会发生什么影响的。

八股文是只有架子没有内容的东西，所谓“抗战八股”即是指那些专在几个名词上面绕圈子，丝毫没有触到抗战的各问题的文章。这种空洞文章是绝对不能与有内容的抗战文章混为一谈的。

给一个敬爱的友人*

南国的气候相当炎热。在你们那里樱花谢了还没有多久，正是明媚的暮春天气罢。我还记得三年前的情景。千岁村[1]的和平朴素

---

* 本篇最初连续发表于一九三八年六月一日、七月一日、八月二十一日《烽火》第十六、十七、十八期。

① 千岁村：在日本东京郊外，社会学者石川三四郎当时住在这里。

的田园，你[1]自己亲手种的蔬菜，简陋的房屋，倾斜的篱笆和曲折的小路，我一个陌生人万想不到这就是你工作的地方。我来迟了，没有机会听到你那燃烧着理想之火的演说，或者父亲的慈祥教诲一般的谈话。……我站在千岁村农家茅屋门前的时候，法西斯的魔影已经像黑云一般地把天空玷污了。甚至在这田园中我们也呼吸不到自由的空气。你带着愤慨地告诉我你所遭受到的一切迫害。以前欢迎过你的文章的各杂志现在也不敢再发表你的片纸只字了。连你所翻译的一部叙述人类起源和社会演进的名著[2]，也不能够续出第二册。你从前曾在好几万工人的面前作过热烈的讲

① 你：指石川三四郎。

② 名著：指法国地理学家邵可侣（1830—1905）的《地人论》。

演。但是如今连那个以团结的力量震惊了全日本的、代表数十万工人的工会也被打击到只能够秘密存在了。在去千岁村的途中百合子姑娘告诉我许多事情。她有一句愤慨的话至今还深印在我的脑际。“我现在只能够跳舞了，”她说，因为我在报上见过一段记事，说她发明了一种跳舞，我惊奇地问她，她苦笑地这样回答我。七八年前有人向我说起她向群众演说的事。然而这时她却只能够把理想和愤慨寄托在跳舞上面了。我知道这不过是一个开始。以后还有更厉害的打击。人民在一个决定的时期对统治者表示了软弱，放过了机会，用忍耐来对付压制，用沉默来忍受不义，他们忽视了自己的力量，不能在最好的时候使用它，结果他们自然地遭遇了毁灭的惨祸，甚至不能够给敌人一个坚强的抵抗。法西斯蒂就是这样地成功的。一九二四年玛蒂阿地[1]被刺杀的时候，法西斯蒂在意大利遭逢了一个绝大的危机，莫索里尼也在舆论的斥责下战抖起来，意大利人民本来可以在几天内就去掉这个黑衫的暴君和他的党徒。但是他们却不相信自己的力量，让法西斯蒂的领袖渐渐地从隐匿的地方跑出来，继续从事他们的阴谋的工作，让余火慢慢地在灰烬里重燃，终于造成了“燎原之势”，使肥沃的土壤变成焦土，不给意大利留下一片青草。大部分人民在窒闷的空气里憔悴呻吟，他们中间的菁英在屠杀和酷刑下摧残殆尽，残留的也只能够亡命到别的国家。

---

① 雅·玛蒂阿地（1885—1924）：意大利统一社会党的书记，一九二四年六月十日被法西斯蒂暗杀。

历史的悲剧不断地重演。意大利的例子又被别的国家先后摹仿。德国之后又临到日本了。这个打击落到日本人民的头上。压制之上又加了压制。法西斯蒂的野心是没有止境的。剥削和侵略是法西斯蒂统治的两个武器。它帮助资本家剥削了工人以后，又来帮助他们攫取殖民地开辟国外市场了。东京和大坂的牢狱中不知道消磨了多少日本劳动运动的优秀分子的生命。回想八九年前五一节东京市街大游行的盛况，真令人起隔世之感。

先生，这是什么缘故呢？是日本法西斯蒂增长了势力，还是工人阶级自己坐失了良机？我想你的回答应该是后一个。“一·二八”淞沪抗战的时候，我读过你的一些短文。你的意见正和我们的相差不远。在任何时候你都不让狭义的爱国主义迷了你的眼睛。正如每一个社会主义者所应当做的，你始终站在反强权反侵略的一边，你叫出了“不要打中国的兄弟”的呼声，这呼声得到了大坂等地劳动者的响应。但是呼声太微弱了。响应的人也只是一部分，并不能成为一种力量阻止侵略的战争。这不是日本无产阶级第一次放弃责任，和这类似的事情已经有过好几次了。让敌人把武器从他们的手中夺去，等到一觉醒来，他们已经成为徒手，纵然大敌当前也只好束手待毙了。日本的劳动阶级就是这样地蹈了意德两国弟兄的覆辙。

三年前和你在千岁村最后一次见面时，我就感到这一个不幸的预兆，那时我因为要赶到横滨搭船回国，没有和你多谈这种事情。你曾殷勤地挽留我，要我在那个可爱的田园里待一些时候，你还坚持地要出去为我退船票。这个好意我是应该接受的。我不知道当时我为什么是那样无理地固执，一定不肯听从你的话，还把你从千岁村拉到百合子姑娘的家。在那辆宽敞的汽车里我们谈论了好些事情，却始终没有谈到这上面。后来在百合子姑娘家里受了款待以后，我跨出“玄关”，雇了汽车。当车子转弯的时候，百合子姑娘和另外一位更年轻的女士还立在门口带笑地对我行礼。这温暖的友情使我在车里感动地不住挥手。车子走入了另一条街，我忽然感到一种隐微的心痛。我离开了我所敬爱的友人，我的离愁是很大的。在这时候，在汽车快到中华留日青年会的时候，我才觉得我自己先前的坚持是何等错误的了。我是应该留下来和你在一起过一些日子，告诉你我所感到那个不好的预兆，要你们注意到那一件事情。但是我什么也不曾说出来就回到了上海。在虹口公寓的寂寞的长条的小房间里，当回忆来折磨我的时候，热情来揉我的心，悔恨盘据了我的思想，那个囚笼似的房间似乎容不下我，我的心要破壁飞去。但是环境阻碍了我。我不能够说我所想说的话。每晚我把自己关在房间里无休息地在那狭小的地板上闲踱。走得疲倦了时，我又坐下来，借着高悬的电灯的微光咬着牙关一字一字地翻译柏克曼的《狱中记》，用他的十四年的痛苦，来折磨我的并不强健的心灵。我这样地惩罚我自己，磨炼着我自己。于是我不能忍耐了。我给你和称你为父的百合子姑娘写了信。终于把我的忧虑和愤慨叙述出来了。

百合子姑娘的回信来了。在那封委婉而流畅的法文信里，我又一次见到了另一个国度中争自由的人的苦闷。她告诉我你在生病，她也不能做任何事情。便衣侦探随时监视着你们，连一点点微小的努力也会遭受统治者的阻挠。呼声被窒息了，花园似的岛国变成了狭的囚笼。在那里连一棵刚出土的自由的嫩芽也会被暴风雨摧残。许多活跃的友人不是在黑暗的牢狱里忍受酷刑，便是在狭小的监房里浪费生命。

百合子姑娘的信函里充满了忧郁的调子。但是理想并不能够被现实征服。希望的火花永远在黑暗的天空闪耀。甚至在压迫最厉害的时候，也有人站出来勇敢地叫着：“我反抗！”公开的活动改变为地下的工作，组织变得更坚实了。一些人沉默地努力为将来准备一切。她的信函曾这样地暗示过。邮件检查制度使她不能够详细叙说。但是后来一个法国友人告诉了我们这一切。……

然而这一切如今也被一阵的反动的飓风席卷而去了。两次的大检举，大拘捕，差不多摧毁了整个的运动，大部分组织这地下活动的分子都进了监牢。我只在报纸上见到一些陌生的名字。

先生，这自然不是使人愉快的消息。当我知道这个的时候，我的心是很沉重的。我的心境不会和你得到宫岛出家、生田投海[1]的消息时的心境两样。但是甚至这样的打击也不能毁灭我们的信念。多一次的失败更可以增强我们的工作的决心，犹如多一番磨洗更可以发见一件金属品的光辉灿烂。妃格念尔在民意社执行委员会解散，大部分同志在绞刑台上和单人囚室中殉道以后，还想将破碎的金线结在一起，用来在废墟上建造新的九层宝塔。沙皇亚历山大三世把她当作可怕的妇人，一些青年男女把她视作指路的明灯，并不是没有理由的。

---

① 指日本小说家宫岛资夫（1886—1951）出家和诗人生田春月投海自杀的事。

写到这里我就不能制止我的疑惑。我翻译了你追忆春月的文章，但是我不能同意你的见解。同流合污，变节屈辱，固然是社会主义者所深恶痛恨的。然而“出家”和“自杀”也并不是可奖励的行为，这是逃避的方法。在庸俗和邪恶之前，一个革命者不应该沉默。去掉庸俗和邪恶倒是他们的任务。不愿与庸俗邪恶同生此世而选取了自己毁灭之路，这毅力虽然可佩，但是这决心却值得非难了。被迫而离开战场，并不是一个战士的行为。真正的战士倘使不能凯旋而归，就应该战死在阵地上。宫岛、生田两先辈的崇高的人格固非像我这样的人所能望其项背。我也没有机会读到《从妻房到僧房》（宫岛著书）那样的自白。《魂之家》（春月的诗）只是一个诗人的憧憬。对于他们二人的最后的决心，我实在不能够彻底了解。作为社会主义的战士，他们应该战斗到流出最后一滴血为止。然而《金》的小说家和《魂之家》的诗人，却放弃了责任而中途倒下了。这是很可痛惜的事。但是你在那两篇追忆文章里却不能将这一点指出来。初读到它们时我有一种感觉：你老了。但是真实的你却并不是这样。我相信你是不会老的。

敬爱的先生，我现在将这些旧事在这里重提，并非故意指摘你的错误，我也不想拿过去的失败刺激你的感情，我不过提醒你不要忘记历史的教训。我记得十年前读过你一篇关于历史的论文。你说到历史的流转。历史决不是循环的，重复的。历史是前进的。过去的悲剧固然常常重演，但推动历史的力量却永远是趋向光明的力量。人类社会的演进并没有一刻的停止，纵然它有时走着曲线的道路，使人看不见前进的辙迹。历史的法则是应该遵守的。违背这法则的人只有自趋灭亡，却不能够改变历史的道路。法西斯蒂的魔手用它那野蛮的力量固然可以摧残一部分文明的成就，但是它并不能挽救一个垂死的社会于黑暗的深渊。人民在一个决定的时期的懦弱，虽然常常招来惨祸，甚至延长了残暴的统治，可是这惨祸也不能将人民对于自由的渴望和争自由的力量完全粉碎。人民是要永久存在下去的，而且在任何时代都要为争自己的独立而斗争。我们的全历史就是一部人民争自由的历史。每一次的失败不过多添一页血的记录，并不曾结束这个长期的斗争。

现在正是应该重燃起斗争的烽火的时候了。

先生，写过一千余页的西洋社会运动史的你，仔细地研究过法俄两大革命的你，应该知道有组织的民众运动具有什么样的力量，而且会产生什么样的结果。日本帝国会在有组织的民众运动下崩溃，这是不可避免的命运。你们那里有一个军阀豢养的论客室伏高信常常说到“历史的宿命”，那么这就是“历史的宿命”罢。连室伏高信有一天也会倒在他自己挖的坟墓里，让后代的子孙用鄙夷和憎恶的口吻提起他的名字。他所梦想的罗马帝国的黄金时代是永不会再来的了。

这一点你当然很知道。将《古事记》的神话推翻，将天皇即神的传说打破，这也是一个掘根的工作。你在三四年前就告诉了我这样的一个企图。也许是环境阻止你，使你不能把它完成。但是作为先知者的你们应当起来加紧地从事唤起人民的工作了。你们点燃了烽火，无数的群众就会发出洪钟似的呐喊跟着你们前进。此时正是最好的时机，倘使你们再把它错过，使横暴的统治又得苟延残喘地延长若干年，直到人民愤怒的大爆发，像一把火烧遍了岛国，烧毁了法西斯蒂的宫殿，但是你们却忽略你们的责任了。

“皇军”的飞机在我的头上盘旋。发动机的声音像蚊子叫声似地响着。但这是死的声音，毁灭的声音。我落笔的时候，机关枪就在上面扫射，一颗炸弹在不远处爆炸了。在我的周围是死。我还是一个有血有肉的人，我不能够静下剧烈的心跳安静地给你写信。然而我一定要把这封信写完，因为说不定过两分钟我住的房间便会成为粉碎，那时，连我这执笔的手也不知会落到什么地方去了。一个人接近死的边沿，不会说一句假话。我可以坦白地告诉你，就在炸弹和机关枪的不断的威胁中我还看见未来的曙光。我相信这黎明的新时代是一定会到来的。我们在这抗战中的巨大的牺牲便是建造新的巨厦的基石。这一个星期来，我们的救护队含着眼泪埋葬了成千的死者。无辜者的血染红了广州的街市。但是在这里依旧充满着愤怒的呼喊和坚定的信念，却听不见一声乞怜的哀号。犹如在东西南北线各战场上默默地贡献了最后一滴血的千百万兵士，他们的脸上也不带一点畏怯的表情。所有的人都为着一个伟大的目标牺牲，这个目标会拯救中国，也会拯救日本。

中国一定会得到解放的。这解放同时带来日本的新生。侵略者的统治阶级自掘其坟墓，这才是“历史的宿命”。我们如果把樱花岛国比作一间黑暗的囚室，则我们的抗战的炮声就是叩门的信号。在这受苦的土地上流过的血将成为一股洪流，而以其不可抗拒的力量，冲破日本的牢固的铁门。所以我们同时唤着："弟兄，醒起来罢。"

"弟兄，努力罢"，你们的劳动阶级同胞已经发出了这样的呼声，我们以我们的热血来作为友情的酬答。东亚两大民族的解放，应该是我们和你们的共同的目标。这自由的花树已经受到了我们这个民族的赤血的灌溉，我们的血还在不断地流，现在应该由你们来贡献你们应当交出的一部分了。先生，我等着听你们的雄伟的呼声；我等着看你们的壮烈的行动。当你们无产阶级弟兄向着法西斯统治者举起结实有力的拳头的时候，他们的末日就到了。日本帝国的崩溃不过是指顾间的事。残杀者将以自己的血来报偿他所犯的罪恶，留一个污秽的名字在历史上，而让位给为创造新时代而努力的人民。这个"历史的宿命"，并不是一百万军队，或十万吨炸弹，和一万尊大炮所能改变的。凭借武力为子孙树立万世不朽的基业，这只是少数痴愚者的迷梦。连喑呜叱咤不可一世的拿破仑也只得作圣海仑岛上的囚人，而悒郁地度其残生。路易十六却为了祖先的罪孽身死在断头台上。至于尼古拉二世的受刑，威廉二世的流亡，都是可以昭示来者的前车之鉴。但是野心家如军阀政客之流，却非白刃加颈不能明白真理。他们害怕的只是有组织的民众运动。这是可以致他们的死命的。现在当我们立在门前用抗战的炮声来叩门的时候，你们应该起来发动这样的运动了。

先生，这时候我并没有畏惧。我的信念使我的心镇定。我居然写完了这样的一封长信。我愿意它能够飞越过海的彼岸，把我的这心情传达给你。我不知道你是否还自由地住在和平的千岁村，或者你已经在狭小的地牢里牺牲了性命。但是我相信在你们那边总有一天会有人看到这封信，或者百合子姑娘，或者别的友人，那么让我等候着你们的回答，你们会用行动来回答我，我这样地相信着。

1938年6月5日在广州。

无　题

前　记*

这本小册子里有杂感，有短论，有悼文，有卷头语，有后记；说“杂”，说“短”，倒是名符其实。自然它们都是不像样的东西，不过因为全和抗战有关，我就把它们集起来付印了。

---

* 本篇最初发表于一九四一年九月一日《自由中国》新一卷第三期。

书名《无题》，并无深意。我从来不会将就题目做文章。过去作文虽然也效法前辈，在篇前加一个标题，其实我只是信笔直书，随便发抒个人的浅见，且往往越出题目的限制，更没有依照文章的作法。因此我翻读旧作，常常感觉到对不起题目似的惭愧。这次用“无题”作书名，无非说实话。

巴金　1941年3月在重庆。

无　题*

一

在河口铁桥炸断以后，一个朋友从安南来，他告诉我下面一件事情：

他们从海防到了老街，晚上在老街的

---

* 本篇最初发表于一九四〇年十月十四日香港《大公报·文艺》。

“廉访所”对护照。一个中国学生因为他的护照照片是戴着帽子摄的，在对护照时他没有揭下帽子，签护照的法国官员发了脾气，命令他脱帽。他没有听清楚法国人的话，动作稍微慢一点，在旁边的安南兵就动手打人。中国学生做出抵抗的样子。结果他得着违法的罪名被拘捕了。同路的人不能够给他帮忙，他们也不知道他的下落。不过据旅馆的人说，将来审讯以后那个中国学生会被判处三个月或者半年的有期徒刑。

我听到这番话以后，不过一个星期的光景，昆明的日报上就刊载了日军在海防登陆的消息。他们并不曾遇到抵抗。我很担心那个学生的安全。

法国人真是一个奇怪的民族。我从前还以为自己对那些在所谓“自由、平等、博爱”的旗帜下面生活的人多少有一点了解。

现在我才知道自己被书本欺骗了。我还记得三个多月前贝当政府向希特勒投降的时候，我曾经同几位上海友人争辩，我说，卢骚和伏尔泰的法国，马拉和罗伯斯庇尔的法国是不会投降，也不会安安静静地让屈服者统治的。然而现在法国人在贝当的指挥下又在世界的另一角做了卖友的行为，再一次对侵略者低头了。我期待着一次巴黎公社的壮剧。等待了三个多月，我却只看见法国的第二次投降。贝当下令放下武器的时候，他说过这是光荣的和平，但是给我们看见的却只有苟且偷生，这里并没有一点光荣。

一百五十年前（一七九二），巴黎成了四国君主进攻的目标，在最危急的情势中，丹东向法国人民发出了“大胆，大胆，永远大胆”的号召。是这样的吼声压倒了那些失败主义者的呻吟，扫去了一切的吱吱喳喳。丹东还从乡下把他的年老的母亲接到巴黎来，表示他一家人愿与这个名城共生死。法国人的这种无畏精神保全了革命，保全了法国，把“自由、平等、博爱”的思想传遍欧洲。这样的精神在当时是极普遍的，所以法兰西民族曾经被人称为爱自由的战士。在过去靠了“自由”，法国才得在欧洲发射灿烂的光辉。我翻读法国历史，可以看见若干先烈为了自由上断头台流尽热血。要恢复法国的光荣，就不能背弃自由。背弃自由只是一条灭亡的路。

现在贝当却牺牲了法国的自由，建立一己的政权，在投降的政策下面谋个人的利禄。在欧洲就已经出现了使人难信的事实。海防的登陆，这似乎是很自然的事。

贝当走的路也就是德古在安南走的路。贝当向德国的侵略者低头之后，他又命令德古向日本的侵略者屈服，贝当以为这样他就可以巩固他的政权，却不知道自己不过做了德国法西斯蒂掌握下的傀儡。他不把安南还给安南人民，却宁愿让它也在很短的时期中变做了日本帝国主义者的掌中物，这也许是贝当一类的人的得意行为。但是我相信，有一天他们会走到深渊的边沿，而明白自己究竟做了什么样的事情。他们也许会起后悔的念头，不过那时又太迟了。

然而现在似乎还是他们得意的时候。贝当在国内努力铲除异己。德古的部下也在安南各地欺侮中国侨民和安南人民。两个多月前我从上海来昆明，在海防登岸换车时，曾在海防的海关里耽搁了七八小时，只为了两件小行李。那一天我看够了法国关员的横暴行为，也看够了我们同胞的狼狈情形，还听够了同胞们的唉声叹气（他们在那里不像旅客，却像一群囚徒）。一个广东同胞为了几件汗衫、短裤和衬衣，就被关进了木屋，课以高额的罚金。一个江苏同胞的一双马靴被强迫着从脚上脱去。为了抢先拿行李送检查，许多同胞还挨过法国官员的拳头。我站在那个广阔的厅子里，看见了这一切情形，我的心发痛，我的血在沸腾，我想不透一个问题，我痛苦地想着：难道这也是卢骚、伏尔泰、马拉、丹东、罗伯斯庇尔的子孙？难道这也是我在法国看见的那些爱自由的法国人的父子兄弟？我得不到一个回答。我后来又想到一个问题：是什么东西使这些人在侵略者的威胁下，在自己受到的屈辱的当中，而且在自己的毁灭的边沿上还做出这种狂暴的作威作福的行为？难道他们还不明白究竟是哪一种人应该先得到可耻的恶运？是他们还是我们？我似乎比他们看得更清楚。我原谅这些“世纪末”的病态行为。但是我不能原谅他们加在我们同胞身上的侮辱。

十几年前我说过："我爱法国，我将永远爱它。"现在我不再说这样的话了。贝当统治的法国我是不能爱的。殖民地统治者所代表的法国我是不能爱的。我不知道那些人会把法兰西拖到什么样的深渊里去。我只希望法国人民起来挽救他们的"祖国"。在过去某一个时期法兰西做过自由的象征。至于将来它会不会做屈服的象征，这要看那般爱自由的法国人的努力了。

至于安南人呢，他们决不会让帝国主义者长久支配他们的命运。不论是对付法国的统治者或日本的统治者，安南人一定会争取到自由。

二

现在是上午十点半钟，还没有听见警报。

日本人广播说今天要再炸昆明。一个星期前昆明才遭过二十七架日本飞机的大轰炸。今天不知道他们又要来一个什么样的屠杀！不过警报未放前，我还可以在市区里安静地写文章。而且我已经写了三个半钟头了。今天为了等警报，我在七点钟以前就起来了。这时罩在我头上的还是晴空，却也有好些片鱼鳞似的白云。半点钟前还有两架我们的飞机在云间盘旋，如今空中却寂然了，我只听见窗前树上小鸟的鸣啭。

又过了一刻钟，还是没有动静。没有警报，我自然在天空找不到敌机的影子。我想起了这样的事情：前年六月里日本武士也曾扬言要在广州抛下一千个炸弹；去年一月他们又散布传单说要在三天以内炸平桂林。但事实证明这不过是空言威胁，不曾得到武士们预期的效果。

轰炸只是卑怯的屠杀，懦夫的行为。勇敢的人愿意在公平的条件下与敌人搏斗。躲在上空抛下武器，杀害徒手的人群，这种行为里并没有一点点英勇的气概。多轰炸一次，不过多在这两个民族中间添一笔血债。若说用轰炸就可以摧毁对方的抗战精神，收得投降的效果，这是在做梦。历史上就没有这样的先例。何况中国有那么广大的国土，那么众多的人民，这是日本的有限的炸弹所炸不尽、毁不完的。

让那些武士躲在云端做他们的好梦罢。我们是不会投降的。而且不达到我们的目的，我们永不会停止抗战。我相信有一天我们会看见他们从云端跌下来，埋葬在污泥里！

1940年10月7日11时半在昆明。

附记 文章刚写好，警报响了。我到了郊外，便看见二十五架敌机飞过我的头上，接着炸弹在市区东南角爆炸了。我只看见往上冒的浓黑的烟，却不知道灾区在什么地方。

下午一时在田上记。

先死者*

今天我又走到了金碧路的灾区。

这是第二次了，三天前夜里我也到过这个地方。那时我在黑暗中摸索，靠着一只手电筒的微光给我指路。我只知道自己迎着尘土与人声走。我再也认不出近来时常经过的

* 本篇最初发表于一九四〇年十一月十六日《国民公报·文群》。发表时题为《先死者——昆明随笔之一》。

那条热闹街道。砖块绊住我的脚，背影挡住我的眼光。我终于停住了。我看见就像要倒下似的断壁。那个华丽的建筑物只剩了半个空架子！我小心地下着脚步，怕让坏电线缠住我的脚。我依旧用手电筒照路。在这条黑暗的街中，就只有闪电似的手电筒的光。好几道光照在瓦砾堆上。一些人站在堆上工作，另一些人立在街心望着瓦砾堆叹气。我也把眼光往那边射去，我只看见砖瓦、木片、灰尘。

还是这同样的废墟，不，我应该说是同样的伤痕，这三年来，我在广州、武昌、梧州、桂林、金华都见过了。中国的土地在受难，在受磨炼，在受熬煎。每个人都跟着它受苦，但是都看见它在苦难中生长。多看见这样的伤痕，自然给人增加痛苦，但同时也加强了我对未来的信念。

今天我又走过这条伤痕满身的街。

白日的亮光把犯罪者的“成绩”完全暴露出来了。每一块碎砖，每一片断木，每一堵断壁，每一个破洞，都在诉说伤痛，都在叫喊复仇。

在一个瓦砾堆上，还有好些人躬着身子在工作。十几具白木薄棺材搁在他们旁边。我没有心肠去数棺材的数目，不过我注意到其中有三具放在另一边。我在瓦砾堆前立了三五分钟，正要举脚往前走时，忽然听见身旁一个人说：“有十七个人埋在里头，现在才挖出来三个。”

我又站住了。我把眼光射在那三具白木棺上。薄薄的木板盖着三个无名者的尸体。我不知道这些人的生前事迹，也不知道他们遗留下一个什么样的家庭。我也许没有见过他们的面貌。但是我默默地揭下帽子，我的眼睛被泪水打湿了。

我想，他们躺在棺材里该不会有怨言罢。他们跟着中国的土地受难，他们默默地交出生命，为了这土地的生长而倒下了。他们用自己的血灌溉他们所爱的土地，对这土地他们尽了最后的力量了。以后应当由我们来继续他们的工作，由我们来完成他们的工作。我们没有理由哀悼他们。我们倒应该尊敬他们。他们并非不幸的、徒然的牺牲者。他们用血来照亮我们前进的路。这样的血是会发出光辉的。

“我流的是感激的眼泪。对这些先死者，我没有资格哀悼他们，”我这样说着，一面伸出手去擦眼睛。

1940年10月3日在昆明。

静寂的园子*

没有听见房东家的狗的声音，现在园子里非常静。那棵不知名的五瓣的白色小花仍然寂寞地开着。阳光照在松枝和盆中的花树上，给那些绿叶涂上金黄色。天是晴朗的，我不用抬起眼睛就知道头上是晴空万里。

---

* 本篇最初发表于一九四〇年十一月二十五日《现代文艺》第二卷第二期，为《轰炸中及其他》之一则。

忽然我听见洋铁瓦沟上有铃子响声，抬起头，看见两只松鼠正从瓦上溜下来，这两只小生物在松枝上互相追逐取乐。它们的绒线球似的大尾巴，它们的可爱的小黑眼睛，它们颈项上的小铃子吸引了我的注意。我索性不转睛地望着窗外。但是它们跑了两三转，又从藤萝架回到屋瓦上，一瞬间就消失了，依旧把这个静寂的园子留给我。

我刚刚埋下头，又听见小鸟的叫声。我再看，桂树枝上立着一只青灰色的白头小鸟，昂起头得意地歌唱。屋顶的电灯线上，还有一对麻雀在吱吱喳喳地讲话。

我不了解这样的语言。但是我在鸟声里听出了一种安闲的快乐。它们要告诉我的一定是它们的喜悦的感情。可惜我不能回答它们。我把手一挥，它们就飞走了。我的话不能使它们留住，它们留给我一个园子的静寂。

不过我知道它们过一阵又会回来的。

我坐在书桌前俯下头写字，没有一点声音来打扰我。我可以把整个心放在纸上。但是我渐渐地烦躁起来。这静寂像一只手慢慢地挨近我的咽喉，我感到呼吸不畅快了。这是不自然的静寂。这是一种灾祸的预兆，就像暴雨到来前那种沉闷静止的空气一样。

我似乎在等待什么东西。我有一种不安定的感觉，我不能够静下心来。我一定是在等待什么东西。我在等待空袭警报；或者我在等待房东家的狗吠声，这就是说，预行警报已经解除，不会有空袭警报响起来，我用不着准备听见凄厉的汽笛声（空袭警报）就锁门出去。近半月来晴天有警报差不多成了常例。

可是我的等待并没有结果。小鸟回来后又走了；松鼠们也来过一次，但又追逐地跑上屋顶，我不知道它们消失在什么地方。从我看不见的正面楼房屋顶上送过来一阵呫呫的乌鸦叫。这些小生物不知道人间的事情，它们不会带给我什么信息。

我写到上面的一段，空袭警报就响了。我的等待果然没有落空。这时我觉得空气在动了。我听见巷外大街上汽车的叫声。我又听见飞机的发动机声，这大概是民航机飞出去躲警报。有时我们的驱逐机也会在这种时候排队飞出，等着攻击敌机。我不能再写了，便拿了一本书锁上园门，匆匆地走到外面去。

在城门口经过一阵可怕的拥挤后，我终于到了郊外。在那里耽搁了两个多钟头，和几个朋友在一起，还在草地上吃了他们带出去的午餐。警报解除后，我回来，打开锁，推开园门，迎面扑来的仍然是一个园子的静寂。

我回到房间，回到书桌前面，打开玻璃

窗，在继续执笔前还看看窗外。树上、地上、满个园子都是阳光。墙角一丛观音竹微微地在飘动它们的尖叶。一只大苍蝇带着嗡嗡声从开着的窗飞进房来，在我的头上盘旋。一两只乌鸦在我看不见的地方叫。一只黄色小蝴蝶在白色小花间飞舞。忽然一阵奇怪的声音在对面屋瓦上响起来，又是那两只松鼠从高墙沿着洋铁滴水管溜下来。它们跑到那个支持松树的木架上，又跑到架子脚边有假山的水池的石栏杆下，在那里追逐了一回，又沿着木架跑上松枝，隐在松叶后面了。松叶动起来，桂树的小枝也动了，一只绿色小鸟刚刚歇在那上面。

狗的声音还是听不见。我向右侧着身子去看那条没有阳光的窄小过道。房东家的小门紧紧地闭着。这些时候那里就没有一点声音。大概这家人大清早就到城外躲警报去了，现在还不曾回来。他们回来恐怕在太阳落坡的时候。那条肥壮的黄狗一定也跟着他们“疏散”了，否则会有狗抓门的声音送进我的耳里来。

我又坐在窗前写了这许多字。还是只有乌鸦和小鸟的叫声陪伴我。苍蝇的嗡嗡声早已寂灭了。现在在屋角又响起了老鼠啃东西的声音。都是响一回又静一回的，在这个受着轰炸威胁的城市里我感到了寂寞。

然而像一把刀要划破万里晴空似的，嘹亮的机声突然响起来。这是我们自己的飞机。声音多么雄壮，它扫除了这个园子的静寂。我要放下笔到庭院中去看天空，看那些背负着金色阳光在蓝空里闪耀的灰色大蜻蜓。那是多么美丽的景象。

1940年10月11日在昆明。

大黄狗*

早晨园子外面意外地响起一阵狗叫。大概是邻家那条黑白花的狗的叫声。我想起了这里的大黄狗。我好几天没有看见它了。

往常，敌机还不曾飞到这个城市来投炸弹的时候，清早我起身不久，就会听见房东

* 本篇最初发表于一九四〇年十一月十四日《国民公报·文群》。

家通园子的小门依呀地一响，一条大黄狗带着快乐的叫声从窄小的过道奔进园子来。它并不挨近园中花草，也不去寻找食物。它的第一个工作便是到掩着的园门口大声叫唤，一面用嘴和脚去推动园门，想把门拨开。然而门是扣上了的，它忙了一阵，还是没有办法。有时候它居然把扣子摇脱了，但是房东家的小孩马上走来把扣子扣上。所以它始终打不开那两扇红漆的木门。不过它从门缝也可以嗅到外面的空气，瞥见外面世界的景象。

它每天总要在门口徘徊好些时候，有两三次它还带着求助似的吼声用力抓那木门。但是门始终关着，没有人来给它帮忙。它又望着门狂吠一会儿，然后绝望地转身往园内跑。它经过我的房门，跑到后面园子里去。后面的园子比较大，那里还有房东为他们一家人建筑的防空室。可是它在那个地方只跑了两转，房东家的小孩就走来把它唤了进去。于是小门一闭，园子里又寂然了。

在上月三十日的大轰炸以后，一连几天园子里都没有狗的脚迹。我上午照例在房里读书写字等警报。有时我把疲倦的头从桌上抬起，就想起了大黄狗抓园门的事情。听不见那样的声音，我觉得寂寞。

昨天早晨，我刚刚在书桌前坐下，就听见房东家小门打开的声音。我想，大黄狗该出来了罢。它果然箭也似地飞奔出来了。

虽然离开了几天，它还是没有忘记它的日课。它进园来第一件事就是抓门。自然这不会有结果。不过这一次它的渴望似乎更大了。它不住地拼命推门，它好像抱了不把门推倒不停止的决心似的。可是它刚刚把扣子摇脱，房东家的小孩就立刻跑来扣上，而且等它刚转身往后园里跑去，那个小孩便将它赶进过道，赶进小门，使它的影子消失在依呀的闭门声里。

我想到那条得不着自由的狗的失望，心里非常不舒服。我又记起它好几次带着和善的表情望着我叫的事。两个月来它从没有用过凶恶的眼光看我。它或许是把我当作朋友来向我求助也未可知。可惜我不懂它的语言，不能够给它帮忙。我明白自由是一个生物所不可缺少的东西，不说人，便是狗也知道爱自由。然而我却不能够帮助一条狗得到自由。

写完以上的话，我又因为空袭警报跑到郊外。今天看到了可怖的轰炸。下午五点钟回到城里，在灾区走了一转，触目尽是断瓦颓垣。一个朋友告诉我，他在一间倒下的房屋前面看见一条狗的尸首，连肚肠都露在外面。

晚间我回到园子里，迎着我的只有冷冷的月光和蟋蟀的悲鸣。我站在松树下水池旁边，想起了那条爱自由的大黄狗。我不知道它是否也会得到这样的结果。我还记得它的面貌，尤其是在它和善地望着我的时候，它就像一位长发、长眉、长须的老人。

1940年10月13日在昆明。

轰炸中*

二十七架敌机飞过我们头上的时候，我们几个人正躺在草地上。树叶给我们遮了当顶的阳光，但是我偏起头就可以看见一蓝无际的天海中飘浮着二十七只排列得很整齐的又白又亮的蜻蜓。从树下看，它们似乎是可

＊ 本篇最初发表于一九四〇年十一月二十五日《现代文艺》第二卷第二期，为《轰炸中及其他》之一则。

爱的东西。然而它们带给我的却只有憎恨和畏惧的感觉。我刚才还听见炸弹爆炸声。现在炸弹又在我们的前后左右响了。和“狂朗狂朗”声相似的巨响，使我们四周的空气震动起来。我不知道炸弹落在什么地方。我也不知道这些残酷的侵略者要到什么时候才终止它们的屠杀行为。我们静静地伏在地上，偶尔用极轻微的声音交换一两句短语。机声极大，并且愈过愈响。我抬起眼睛看天，我满眼都是阳光，只看见头上一片无涯的蓝海，却找不出一个白点子。但是机声就在我们的四周响，我觉得敌机始终在我们的头上盘旋。难道它们仍然在找寻目标？难道它们今天就不给我们一个喘息的时候？机关枪声、高射炮声、炸弹声混杂在一起成了恐怖的音乐。尤其使人心悸的是飞机俯冲投弹的声音。但是这时候我的心反而安定了。我似乎在等待死，对将来不存一点希望，也就没有一点杂念。不过根据我过去的经验，我没有听见炸弹在空中旋转而下的声音，我知道弹落的地方和我们还有相当的距离。这个判断使我从容地坐起来。

但是一种沙沙声突然响起来，声音不小，我知道这是可怕的声音，连忙伏在地上。于是一个大的爆炸声响了，我的身子受到一下震动。另一个年轻朋友跑到稻田里去，他伏在刚割好的稻草上。他后来告诉我们，他被这震动抛了起来，这一下可把他吓坏了。

在这个巨响以后，我们等待着第二次的同样的声音，但是除了机声外我听不见什么。空气也似乎较为宁静了。

我想，今天的灾难大概完结了。我嘘了一口气，正要立起来，忽然一阵飞机俯冲声随风送进我的耳里，声音十分响亮，我瞥见一架敌机的影子掠过我们的头上，我的心被一个恐怖的念头抓紧了，我默默地等待着这个最后的灾难。

然而跟着来的却是安静。机声也渐渐地死去了。过了片刻，四周还没有动静。这仿佛告诉我们敌机已经离开市空了。我们一个一个地站起来，伏在田里的人也走过来，大家开始讲话。所有的眼睛都望着市区的西方。那里正冒着大股黄黑色的浓烟，烟雾遮盖了天空的那一角。

“我们的家一定炸掉了，”在书店里做事的朋友带着绝望的表情说，我也住在那个书店的栈房里面，就是在那个花园里。

“我们的学校恐怕也靠不住了，”第二个朋友说。

“日本人欠中国人的这笔债不晓得要到哪天才还得清！”第三个朋友说。

我没有说什么，我却在想这笔血债将来应该怎样地偿还。

回到城里才知道我们的“家”完好无恙。但是第二个朋友的学校却遭到了惨炸，连她们的宿舍也震坏了一部分。

10月13日在昆明。

十月十七日

空袭警报发出后已经很久了。我摊开带在身边的那张油布，躺在树下小河边一块斜坡上，差不多要睡着了。我闭了眼睛，让那些从树叶间洒下来的秋阳的光点随着风在我的身上和脸上移动，我恍恍惚惚地听见两三个人在我后面低声讲话。

有时我睁开疲倦的眼睛，看见下面大片金黄色的稻田里，几个顶着蓝布包头帕的农妇躬着身子在割稻。四周静得很。连微风吹过、一群蚱蜢在稻草中间跳跃的声音，也隐约地听见了。

抓住人的心的是那突然响起的机声。许多只眼睛从草地上抬起来在空中找寻。那是我们自己的飞机，它的大的灰影子使晴朗的蓝天变得更美丽了，但是它只给我们留下这匆匆的一瞥。

“教练机走了，一定是有情报，敌机要来了，”旁边另一株树下一个穿制服的人说。

接着是一阵可怕的沉寂。似乎所有的人都屏住了呼吸。稻田里有好些人慌张地向我们这面跑过来。

从远处响起了另一种机声，这是那种使人心悸的声音。它渐渐地变大，告诉人：杀人的利器向着这个城市飞来了。

我躺在地上，好像受到了一种压迫似的。

我烦躁地一翻身。我略略抬起头看对岸只隔着这一条沟的小河。对岸和这里极相似，也是被一排树掩盖着，斜坡下也有一片金黄色的稻田。先前对岸还有一些人头在晃动，如今映入我眼里的却只有绿草和黄土了。

“敌机！敌机！”后面有人恐怖地小声叫起来。他伸手指着头上的天空，报告敌机有三架。

我的眼光顺着他的手指往天空射去，正看见一只小小的白蜻蜓从白云里飞出来。我的眼光移动一下，我又看见了另外的两只。它们就在我们的头上飞，在上面盘旋一回，就不见了。起初我还听见机声，后来就寂然了。我想，这大概是敌人的侦察机罢。但是等我刚刚嘘一口气时，另一种更可怕的使人不用分辨就明白的轰炸机马达声又突然自远而近，由小而大，带着大的威胁来了。

“来了，”有人用压抑住的低声说。我略略举头看下面，看四周。没有人影，连割稻的农妇也失踪了。在未割的稻田上，在捆好的稻束上谷穗垂下它们的珠串似的头，叹气似地在风里微微摇摆。

“不要动，”有人在后面低声干涉我，我又默默地躺下。

“在那里，三中队，二十七架，”穿制服的人说。

我听见强大的机声，这好像是从我的头上发出来似的。我连忙用眼光去找寻。在蓝天里出现了一群白蜻蜓的影子。我数着它们，九只一群，共三群，但是有一群中间少了一只。清清楚楚的是二十六架。它们正向着我们这面飞过来。

在我的周围只有死一样的静寂。我不知道今天会发生什么样的灾祸，我不知道我们还能不能再看见我们这个可爱的和平的都市！我只有静静地等待着。我也明白这等待是不会久的。

高射炮在我的左边响了，飞机俯冲投弹的声音也听见了，这是在城市的东南角。先前的二十六架敌机还安闲地在我们的头上飞。这个发见增加了我的恐惧。我不知道今天来的敌机究竟有几批几架。我不知道它们是不是怀着残酷的目的要来把整个繁荣的城市炸成灰烬。

高射炮在我的右边响了。接着是大批炸弹落下的声音。我立刻明白是我们后面那个工厂区的某小镇被炸了。在这边是高空投弹，好像一下子就投下了几十颗似的，砰砰砰地响个不停，配合着左边连续的俯冲投弹声，凑成了一曲送人进地狱去的恐怖的音乐。

这时除了炸弹爆炸、飞机俯冲的声音外，

只有另一株树下一个老太婆带着青白的脸色闭上眼睛，合掌低唤“阿弥陀佛”。

右边二十六架敌机投了大批炸弹以后便逃走了，剩下大股白烟从树梢冒起来。在左边投弹的飞机似乎就只有两架（我只看见两架）。它们从容地投了几次弹，在那个被黄黑浓烟罩着的城市的一角盘旋了一会，才满足地飞开了。

我站起来，就在那个斜坡上看下面受难的城市。东南角上的黄烟还很浓。我不知道灾区在什么地方。不过从那个方向揣测，我想大概还是在金碧路一带热闹的市区。

黄烟渐渐地淡去，树木和房屋现出了一个轮廓，不久它们都像先前那样清晰的图画一般嵌在晴朗的蓝天里。我再找不到这个城市的伤痕，我的心里略略感到一点安慰。我转身看另一个受难的地方，那里还冒着大股白烟。在那个小镇里一定有房屋在燃烧，我仿佛还听见爆炸声。

我又回转身再看市区，那里的蓝天也被一股笔直的黑烟涂乱了。难道有什么建筑物起了火？我的心受到熬煎了。

市区的黑烟不久也就消散了。工厂区的白烟却仍然贴在树梢，许多避难者为我们的损失在唉声叹气。

警报解除后我经过稻田走上大路，看见一个人力车夫模样的中年男子，坐在路旁自语地骂道：

“×你妈，你把昆明就炸光了，老子也还是要抗战！”

我回到市区，才知道这一天的空袭并没有带给我们多大的损害。

1940年10月21日在昆明。

在泸县[*]

我知道船要在泸县过夜，等它靠好码头，便拿起大衣，戴上呢帽到岸上去，这时不过下午三点钟的光景。

我慢慢地走上土坡，在一个墩上站住，便掉转身子去看江景。白带似的江水横在我

---

* 本篇最初发表于一九四一年一月十四日《国民公报·文群》。

的脚下，映着午后的秋阳，发出悦目的闪光，和天空成了一样的颜色。岸边一片沙滩，几间茅屋，两只囤船，还有一列帆樯高耸的小舟。这些似乎全陷入静止的状态，但是来往的人却使它们活动了。人们像带色的棋子一般在这块大棋盘上不停地跳动。人们像一根线从囤船拉上土坡，于是颜色和声音混杂在一起，从我的面前飘过。一切于我都是十分亲切。我怀着轻快的心把它们全收入我的眼里。我望着四周景物渐渐地回复到静止的状态中，我才拔脚往坡上的城市走去。

这是我第二次踏上泸县的土地，第一次还是在十七年前。那时我不过是十八九岁的少年，怀着一颗年轻的纯白的心。现在我重睹这个可爱的土地，我的心上已经盖满了人世的创伤，我不能说这十七八年的奋斗给我带来什么结果。不过我走进泸县的街市，仍然只是这个轻松的身子，我的两手并不曾染过一滴别人的血。我想我应该有了大的改变。但是站在一个掷“糖罗汉”的摊子跟前，听着从两个人手里先后掷下的骰子声，望着摊子上三四排长短不齐的糖人，我忽然觉得自己回到小孩的时代了。那个把全部注意力放在碗里的孩子仿佛就是我。我留恋地在这个摊子前站了一刻钟光景，我感到一种幼稚的喜悦。那个孩子空着手走开了，他讲话用的是我极其熟习的声音。这声音引着我走了大半条街。我跟着小孩走，好像在追自己的影子，我似乎一跳就越过了二十年的长岁月。

然而就只走了大半条街，就只有这么短短的快乐的时间！我突然被拉回来了，从远去了的年代回来了。一大片炸毁房屋的废墟横在我面前，全是碎砖破瓦，只有倾斜欲坠的断墙颓壁留下来，告诉我们人家的界限。

焦炙的黑印涂污了粉白墙，孤寂的梁柱带着伤痕向人诉说昔时的繁荣和今日的不幸。有一处，在一堵较大的白壁上，触目地现出“我们要替死者复仇”的标语。我隔着废墟望这些字，这时下落的太阳的余晖正停留在这面断墙上，像一片血光，它罩住了标语的一半字迹。

这不是我的错觉。我看见的应该是血。在这些瓦砾堆中不知埋葬了若干善良的生命。半个不设防城市的毁灭必然包含无数凶残的暴行，烧夷弹点燃的烈火一定会像嗜血猛兽似地吞食了许多人的血肉。这都是说着我熟习的语言、过着我熟习的生活的人们的血。血涂在墙上，血也涂在我的心上。是这些人的血自己在向我讲话，是这些人的血自己在叫喊复仇。

我站在废墟前，让一阵愤怒的火烧着我

的心。我的孩子的梦醒了。从前的繁荣的街市我只能在记忆里找寻，坟墓似的瓦堆掩埋了旧日的脚迹。甚至在这个江边的小城里，还有血痕来烧我的眼睛，不容我的心在昔日的梦中逃避！

惨痛的记忆接连地来了。它们从四面八方袭来，我不能驱走它们。我移动脚往前走，还是看见同样的景象，我还是想着同样的情形。我加快脚步往前走，一座高塔似的钟楼拦住我的视线，“怎样还剩下这个东西？”我刚这样想，我的脚就停住了，好像突然受到惊恐似的。我明明看见一具骷髅！那座教堂的钟楼已经成了风化的干尸，但是它依然僵立在坡上，洞穴似的眼睛望着我，仿佛在诉说它身受的酷刑。

我默默地看着，默默地听着，看那枯焦的骨架，听那无声的语言。这里有一段悲惨的故事。但是我惭愧我只有这无力的手，不能给它任何的安慰和援助。我埋下头走到它旁边。我的眼光被几个浓黑的大字吸引住了，依旧是抗战的标语，它们就写在这座教堂的墙柱上，这是我看惯了的字句。但这时我的头昂起来了，仿佛有一道强烈光芒射进我的肺腑，照亮我的胸膛。我感到勇气的增加。我的信念在这里又受到一次锻炼。然而它还是坚强地从火里出来了。我没有说错话：只有抗战才能够维持我们的生存，和平却会带来毁灭的命运。曾是和平的象征的十字架已经熔化在大火中，而代表一个民族生存的意志的标语，却显明地留在断壁残柱之上，感动了千万的人。这是一个不能否认的事实。

我的思想跑得真快。在这短短几点钟内，我经过了一个民族的若干年的受难的岁月，经历了一个平凡人的二三十年的生活。但是我瞥见一线光明了。

我终于走过了斜坡。眼前现出一片绿色，我还听见有力的年轻的声音。原来我走到公园里来了。这里还是完好的。在树荫下围着一张竹制的小茶桌，六七个穿制服的青年坐在竹椅上，慷慨激昂地辩论。我走过他们身边，我在砖砌的栏杆前面立了片刻，我听见了几句话。他们在谈论中国的将来，这的确是一个大题目。一个二十来岁的人捏紧拳头大声说："我知道时代是永远前进的。但是我们要推动时代，不要让时代把我们拖起走。"

我已经走过了这张茶桌，但是另一个人的激动的声音还从后面追上来："我们一定会得到最后胜利，我们要争取这最后胜利，我们要保持这最后胜利，不管付怎样大的代价，流怎样多的血，我们要战斗到底！"

我站住，倾听下面的话："物质的损失，

生命的牺牲，会带来伟大的结果！你看着，我们就要在这一片废墟上建造起九层的宝塔。”

我感到极大的喜悦。我的确瞥见光明了。这是年轻的中国的呼声。这是在轰炸的威胁下长成的中国的呼声。它是何等响亮，何等有力！我相信它，我等着看那废墟上建造起来的九层宝塔。

回到船上以前我还在各处走了一转。我走过一条很长的马路，我没有注意街名，但我知道这是本城唯一热闹的街市。这里两旁都是完好的商店，还有许多白木新屋。另外在较冷静的街上我看见新的巨厦的骨架和“上梁大吉”的红纸条。一个中国的城市在废墟上活起来了，它不断地生长、发达。任何野蛮的力量都不能毁灭它。我怀着这个信念回到了船上。

晚上十点钟左右船开往蓝田坝上煤，就泊在那里。第二天晨光熹微中船载着我们离开了泸县，缓缓地往上游驶去。

1940年12月24日在重庆追记。

做一个战士[*]

一个年轻的朋友写信问我："应该做一个什么样的人？"我回答他："做一个战士。"

另一个朋友问我："怎样对付生活？"我仍旧答道："做一个战士。"

《战士颂》的作者[①]曾经写过这样的话：

---

* 本篇最初发表于一九三八年九月一日《少年读物》创刊号。

① 指亡友陈范予（1901—1941）。

我激荡在这绵绵不息、滂沱四方的生命洪流中，我就应该追逐这洪流，而且追过它，自己去造更广、更深的洪流。

我如果是一盏灯，这灯的用处便是照彻那多量的黑暗。我如果是海潮，便要鼓起波涛去洗涤海边一切陈腐的积物。

这一段话很恰当地写出了战士的心情。

在这个时代，战士是最需要的。但是这样的战士并不一定要持枪上战场。他的武器也不一定是枪弹。他的武器还可以是知识、信仰和坚强的意志。他并不一定要流仇敌的血，却能更有把握地致敌人的死命。

战士是永远追求光明的。他并不躺在晴空下享受阳光，却在暗夜里燃起火炬，给人们照亮道路，使他们走向黎明。驱散黑暗，这是战士的任务。他不躲避黑暗，却要面对黑暗，跟躲藏在阴影里的魑魅、魍魉搏斗。他要消灭它们而取得光明。战士是不知道妥协的。他得不到光明便不会停止战斗。

战士是永远年轻的。他不犹豫，不休息。他深入人丛中，找寻苍蝇、毒蚊等等危害人类的东西。他不断地攻击它们，不肯与它们共同生存在一个天空下面。对于战士，生活就是不停的战斗。他不是取得光明而生存，便是带着满身伤痕而死去。在战斗中力量只有增长，信仰只有加强。在战斗中给战士指路的是“未来”，“未来”给人以希望和鼓舞。战士永远不会失去青春的活力。

战士是不知道灰心与绝望的。他甚至在失败的废墟上，还要堆起破碎的砖石重建九级宝塔。任何打击都不能击破战士的意志。只有在死的时候他才闭上眼睛。

战士是不知道畏缩的。他的脚步很坚定。

他看定目标，便一直向前走去。他不怕被绊脚石摔倒，没有一种障碍能使他改变心思。假象绝不能迷住战士的眼睛，支配战士的行动的是信仰。他能够忍受一切艰难、痛苦，而达到他所选定的目标。除非他死，人不能使他放弃工作。

这便是我们现在需要的战士。这样的战士并不一定具有超人的能力。他是一个平凡的人。每个人都可以做战士，只要他有决心。所以我用“做一个战士”的话来激励那些在彷徨、苦闷中的年轻朋友。

1938年7月16日在上海。

“重进罗马”的精神*

去年十一月十一日以后，许多人怀着恐惧与不安离开了上海。当时有一个年轻的朋友写信给我绝望地倾诉留在孤岛①的青年的苦闷。我想起了圣徒彼得的故事。

据说罗马的尼罗王屠杀基督教徒的时候，

---

* 本篇最初发表于一九三八年九月十六日《少年读物》第二号。

① 孤岛：指当时的上海租界。

斗兽场里充满了女人的哀号，烈火烧焦了绑在木桩上的传教者的身体，耶稣的门徒老彼得听从了信徒们的劝告，秘密地离开了罗马城。彼得在路上忽然看见了耶稣基督的影子。他跪下去呐呐地问道：“主啊，你往哪里去？”他听见了耶稣的回答：“你抛弃了我的百姓，所以我到罗马去，让他们把我再一次钉在十字架上。”彼得感动地站起来。他拄着拐杖往回头的路走去。他重进了罗马城。在那里他终于给人逮住，钉死在十字架上。[1]

绰号“黄铜胡子”的尼罗王虽然用了火与剑，用了铁钉和猛兽，也不能摧毁这种“重进罗马”的精神。像这样的故事正是孤岛上的中国人应当牢牢记住的。

---

① 见波兰小说家显克微支（H. Sienkiewicz，1846—1916）的历史小说《你往哪里去？》。

那么为什么还有人在这里感到苦闷呢？固然在这里到处都听得见“到内地去”的呼声，而且也有不少年轻人冒危险、忍辛苦离开了孤岛。但是也有更多的人无法展翅远飞，不得不留在这里痛苦呻吟。他们把孤岛看作人间地狱，担心在这里受到损害。我了解他们的心情。

不用说，每个人都有权利呼吸自由的空气，我们没有理由干涉他们。对那些有翅膀的，就让他们远走高飞，我也无法阻止。但是对于羽毛残缺或者羽毛尚未丰满的，我应该劝他们不要在悲叹中消磨光阴，因为他们并非真如他们自己所想象的那样：比别人更不幸；而且他们忘记了他们的肩上还有与别人的同样重大的任务。固然可以使人呼吸自由空气的内地是我们的地方，但是被视作黑暗地狱的孤岛又何尝不是我们的土地！一直到今天孤岛还不曾被魔手捏在掌心里，未必就应该由我们自己来放弃？自由并不应当被视作天赐的东西。自由是有代价的。真正酷爱自由的人并不奔赴已有自由的地方，他们要在没有自由或者失去自由的地方创造自由，夺回自由。托玛斯·潘恩[①]说得好：“不自由的地方才是我的祖国。”参加过北美合众国独立战争的潘恩是比谁都更了解自由的意义的。

唯其失去自由，更需要人为它夺回自由。唯其黑暗，更需要人为它带来光明。只要孤岛不曾被中国人完全放弃，它终有得着自由、见到光明的一天。孤岛比中国的任何地方都需要工作的人，而且在这里

① 托玛斯·潘恩（T. Paine，1737—1809）：美国启蒙学者、政论家，争取美国独立的思想家。

做工作比在别处更多困难，这里的工作者应当具有更大的勇气、镇静、机智和毅力。工作的种类很多，它们的重要性并不减于在前线作战。这样的工作的确是值得有为的青年献身从事的。

我们有什么理由轻视孤岛上的工作？我们平日责备失地的将士，那么轮到我们来“守土”的时候，我们怎么可以看轻我们的职责？撇开孤岛的历史不说，难道这四五百万中国人居住的所在就是一块不毛的瘠土？谁能说匆匆奔赴内地寻求自由，就比在重重包围中沉默地冒险工作更有利于民族复兴的伟业？反之，“重进罗马”的精神倒是建立新中国的基石。这不是一句空话。我们在失地中已经见到了不少的这种精神的火花。这种精神不会消灭，中国不会灭亡，这是我们可以断言的。

因此住在孤岛上的人，尤其是青年，应当感到自己责任的重大而兴奋、振作，不要再陷入苦闷的泥淖中去。

1938年7月19日在汕头。

悼鲁迅先生*

十月十九日上午，一个不幸的消息从上海的一角传出来，在极短的时间里就传遍了全中国，全世界：

鲁迅先生逝世了！

---

* 本篇最初发表于一九三六年十一月一日《文季月刊》第一卷第六期。编入十四卷本《巴金文集》时，作者曾作如下题注：“这是《文季月刊》一卷六期的卷头语。《文季月刊》是我和靳以编辑的文学刊物，由上海良友图书公司发行。”

花圈、唁电、挽辞、眼泪、哀哭从中国各个地方像洪流一样地汇集到上海来。任何一个小城市的报纸上也发表了哀悼的文章，连最僻远的村镇里也响起了悲痛的哭声。全中国的良心从没有像现在这样地悲痛的。这一个老人，他的一支笔、一颗心做出了那些巨人所不能完成的事业。甚至在他安静地闭上眼睛的时候，他还把成千上万的人牵引到他的身边。不论是亲密的朋友或者恨深的仇敌，都怀着最深的敬意在他的遗体前哀痛地埋下了头。至少在这一刻全中国的良心是团结在一起的。

我们没有多的言辞来哀悼这么一位伟大的人，因为一切的语言在这个老人的面前都变成了十分渺小；我们不能单单用眼泪来埋葬死者，因为死者是一个至死不屈的英勇战士。但是我们也无法制止悲痛来否认我们的巨大损失；这个老人的逝世使我们失去了一位伟大的导师，青年失去了一个爱护他们的知己朋友，中国人民失去了一个代他们说话的人，中华民族解放运动失去了一个英勇的战士。这个缺额是无法填补的。

鲁迅先生是伟大的。没有人能够否认这样的一句话。然而我们并不想称他作巨星，比他作太阳，因为这样的比喻太抽象了。他并不是我们可望而不可即的自然界的壮观。他从不曾高高地坐在中国青年的头上。一个不识者的简单的信函就可以引起他胸怀的吐露；一个在困苦中的青年的呼吁也会得到他同情的帮忙。在中国没有一个作家像他那样爱护青年的。

然而把这样的一个人单单看作中国文艺界的珍宝是不够的。我们固然珍惜他在文学上的成就，我们也和别的许多人一样以为他的作品可以列入世界不朽的名作之林，但是我们更重视：在民族解放运动中，他是一个伟大的战士；在人类解放运动中，他是一个勇敢的先驱。

鲁迅先生的人格比他的作品更伟大。近二三十年来他的正义的呼声响彻了中国的暗夜，在荆棘遍地的荒野中，他高举着思想的火炬，领导无数的青年向着远远的一线亮光前进。

现在，这样的一个人从中国的地平线上消失了。他的死是全中国人民的一个不可补偿的损失。尤其是在国难加深、民族解放运动炽烈的时候，失去了这样的一个伟大的导师，我们的哀痛不是没有原因的。

别了，鲁迅先生！你说："忘记我。"没有一个人能够忘记你的。我们不会让你静静地死去。你会活起来，活在我们的心里，活在全中国人民的心里。你活着来看大家怎样继承你的遗志向中华民族解放的道路迈进！

1936年10月在上海。

感激的泪*

空中响起了机关枪声，三只敌机在我们的头上盘旋。我坐在黄包车上，膝前堆着印书用的白报纸；铜版纸和模造纸重重地压在我的脖子后面。这个时候我想起了我们大家敬爱的鲁迅先生，我忽然疑惑起来：为什么

---

* 本篇最初发表于一九三七年十月十九日《救亡日报》。发表时题为《深的怀念》。

这些纸是用来印《纪念集》[1]，而不是印他的著作的？于是一个声音在我的心里说：“他死了！”的确，他已经在一年前逝世了。

一年前我写过：“这个老人的逝世使我们失去了一位伟大的导师，青年失去了一个爱护他们的知己朋友，中国人民失去了一个代他们说话的人，中华民族解放运动失去了一个英勇的战士。这个缺额是无法填补的。”的确我们的损失至今还不曾得到弥补。

但是我在前两天又写下了这样的话：“我们说过要继承鲁迅先生的遗志前进。这并不是一个空泛的诺言。各个前线的炮声和山间田畔中国士兵的赤血便是一个凭证。全中国儿女的心结成了一块磐石；全中国儿女的力

---

① 《纪念集》：鲁迅先生纪念委员会编印的《鲁迅先生纪念集》，一九三七年十月出版，文化生活出版社总经售。

汇集成一股铁流。这是我们民族解放战争中不可抗拒的力量，它会把横暴的侵略者打击到屈膝的。”

我们相信鲁迅先生的精神永远不死。我们说过独立、自由的新中国的诞生，便是纪念鲁迅先生的最好的纪念碑。这些都不错。而且每个人都知道：抗战一定胜利，新中国一定到来。但是鲁迅先生的仁爱和他的教诲，我们却无法再领受了。想起这一点，我无法制止我的感激的眼泪。

1937年10月在上海。

写给读者（一）*（《文丛》）

本期《文丛》[1]付排的时候，编者[2]已经动身“入川”了。大部分的稿子还是他在

---

* 本篇为《文丛》第二卷第四期（一九三八年十二月二十日出版）的卷头语。未署名。

① 《文丛》：文化生活出版社发行的文艺刊物，由靳以担任编辑，一九三七年三月在上海创刊，每月一册，第一卷共出六期。一九三八年在广州续刊第二卷，改为半月刊。

② 编者：指靳以。

寂寞的旅途中整理后寄来的。我不忍辜负编者的苦心，自动地担负起校对的工作，准备让刊物按时与读者见面。但是刊物还不曾付型，大亚湾的炮声就隆隆地响了。我每天去印局几次催送校样，回“家”连夜批改，结果也只能在十月十九日的傍晚取到全部纸型。那时敌骑已经越过增城，警察也沿街高呼过“疏散人口”了。第二天的黄昏我们就仓皇地离开广州。我除了简单的行李外，还带着本期《文丛》的纸型。二十一期《烽火》半月刊虽已全部排竣，可是它没有被制成纸型的幸运，便在二十一日广州市的大火中化为灰烬了。

我带着《文丛》的纸型走过不少的地方。在敌人接连不断的轰炸下它居然不曾遗失或者损坏，这倒是意外的事。现在我能够在桂林将它浇成铅版、印成书，送到读者的手里，在我也算是了却一桩心愿，我当然高兴。

这本小小刊物的印成，虽然对抗战的伟业并无什么贡献，但是它也可以作为对敌人暴力的一个答复：我们的文化是任何暴力所不能摧毁的。我们有广大的、肥沃的土地，到处都埋着种子。我们的文化与我们的土地和人民永远存在。正如唐诗所说："野火烧不尽，春风吹又生"[①]，我们的文化也是烧不尽的。

1938年11月25日在桂林。

① 见白居易的五言律诗《草》。

写给读者（二）*（《文丛》）

这本刊物是在敌机接连的狂炸中编排、制型、印刷的。倘使它能够送到读者诸君的眼前，那么请你们相信我们还活着，而且我们还不曾忘记你们。

请不要惊讶我们在这里用了“倘使”两

* 本篇为《文丛》第二卷第五、六期合刊（一九三九年一月二十日出版）的卷头语。未署名。

个字。编印这一本薄薄的刊物，我们也经历了不少的艰辛。不用说，这是一个不值得提说的小小工作，但我们也愿意尽我们的微力酬答诸君对刊物的爱护和对我们的期望。在这个城市里除了“交通阻塞”和“物资缺乏”的限制外，我们的工作还不断地受到敌机轰炸的威胁。用一两个“平民”的有限的精力和时间来克服这种种的障碍，在这时候几乎是不可能的事。然而我们毕竟忍受了白眼、吞食了悲愤默默地尽力做去了。

然而甚至在今天，我们还不能断定我们的努力将有什么样的成绩。说不定两个钟点以后，便有几十架敌机闯进这个城市的天空来毁坏我们的一切。这不是我的过虑。七年前在上海闸北的土地上，我的一部长篇小说的原稿[①]

---

① 指《新生》。

被侵略者的燃烧弹烧成灰烬，最近在广州市区的大火中又埋葬了我们几个人大半年来的心血。[1]前几天这个市区还遭到敌机第四次的残酷轰炸。谁能说在过去四次的大屠杀以外，敌人不会再来作第五次的暴行！谁又能断定这些纸张和铅字可以扑灭燃烧弹的火焰，不致成为民族解放的神圣抗战中一件小小的牺牲品！

我压下愤怒的火几次走过灾区。我看见那些残破的房屋，看见头发和衣服还粘在地上的带血的人皮，看见排列在郊外街巷里的无辜者的尸体。有一次我踏过还在冒烟的瓦砾堆，陪一位朋友去探望他那被包围在火海中的故居，我们无法在火堆中找出任何的遗物。我们又走过已经燃烧了六个钟头的街市。

① 指文化生活出版社广州分社。

我望着一家旅馆的高门楼烧断，让砖石和焦木带着千百点细小的火星塌了下来。在山洪暴发似的巨响之后，我听见一个男人在废墟上发出“救命”的尖声呼号。

这些景象我一生也不会忘记。而且我相信每个身经目击的人也是不能忘记的。这个燃烧的城市的苦难，激起了诸君的愤慨和关心。我在这个城市里经历过它最惨痛、最艰苦的时刻，我应该借着这本小小刊物把这个城市的呼声传达给散处在全国的读者诸君。物质的损坏并不能摧毁一个城市的抗战精神，正如刊物的停刊与撰稿人的死亡也不能使我们的抗战的信念消灭。倘使这本小小的刊物能够送到诸君的手中，还希望你们牢牢记住弟兄们的这样的嘱咐。

1939年1月5日在桂林。

《逃荒》*后记

作者在桂林和我谈过他的稿子的事。现在我的手边有几篇他发表过和未发表的短篇创作，就替他编成了这本小书，连书名《逃荒》也是我起的。

在这时候我们需要读自己人写的东西，

* 《逃荒》：艾芜著。一九三九年八月上海文化生活出版社出版。

不仅因为那是用我们自己的语言写成的，而且那里面闪露着我们的灵魂，贯串着我们的爱憎。

不管是一鳞一爪，不管是新与旧，读着这样的文章，会使我们永远做一个中国人——一个正直的中国人。

1939年4月初。

《地上的一角》*后记

这是我替世弥编的第二个集子。她留下的文章自然不止这么一些，但是我手边就只有这两个较为完整的短篇。

《地上的一角》是初稿，还需要作者的整理和加工，可是她连做这个工作的时间也没

* 《地上的一角》：罗淑著。一九三九年九月上海文化生活出版社出版。

有！小说原稿到我手边的时候，我正在桂林的旅舍中，我代作者做了一点整理的工作。

在敌机连续的轰炸中我抄完了世弥的小说，我一字一字地读着她那颇为潦草的笔迹，想到她不能和我们共同生活在这个大时代中经历当前的一切，遗憾像火一样地在我的胸中燃烧起来。

其实感到这种遗憾的并不止我一个。有一位朝鲜朋友后来在我的桂林的寄寓中看见世弥的笔迹，谈起她，谈了几句，就埋下头去揩眼睛。她那颗热烈的、善良的心把许多人牵引到她的身边。朝鲜朋友和我痛苦地说：

“她不应当这样地死去……”我们又说：

“她并没有死。”

是的，善良的人的纪念是不会死的。况且世弥留给朋友们的印象并不仅是善良。

静静地安息吧，亲爱的朋友。你的美丽

的人格对我们将是鼓舞的泉源。我们要补偿这个巨大的损失，唯一的办法便是各人在事业上的努力。我们一定要继续不断地努力工作，为了更好地纪念你。

1939年6月在上海。

《雨夕》*后记

奂午的集子我见到的这是第二部了。“八·一三”以后我就没有得过他的信。从朋友那里也打听不到他的消息。我惦记他。

这集子本来应当在另一家书店出版。但那书店停业了，原稿转到了我的手里，而且

* 《雨夕》：毕奂午著。一九三九年七月上海文化生活出版社出版。

在我那黑色的书橱中过了一年半寂寞的时光。我不忍心让作者的心血这样腐烂下去，便拿出来编在“文季丛书”内交给出版社付排了。原稿全是将杂志、报章上发表的文章剪贴起来的，难免有误植的字，我无法就正于作者，便依照自己的意见修改了。原书的目录中本来有《后记》一篇，但未见原稿，不知是否已为那家书店遗失，我一时无法弄清楚，只好让它缺着，现在由我另写数行。

1939年6月在上海。

《荒》[*]后记

我并未见过作者。大约在三年前他从北平寄了一部短篇小说集（原稿）给我，要我找一个出版地方。我托友人把它介绍给某大书店。稿子送出以后，就没有下文。后来北平沦陷了。作者也同一些朋友到了别处。他似

---

* 《荒》：田涛著。一九四〇年六月上海文化生活出版社出版。

乎忘记了这件事情，也没有来过信催问。我知道这两年他差不多跑遍了“自由中国”的土地，见到不少使人欢欣、令人感泣的事迹。他或许写出了更好的文章。他当然没有余裕想到那些寄出的旧稿。但我还是有空闲的。我不忍辜负作者远道寄稿的盛意，又不愿将他的一点心血埋没，便趁着续编“文学丛刊”第六集的机会，花一点功夫把作者过去在各杂志上发表的文章集起来，以写作的先后为序，编成了这一小册。不过我在这里见到的旧杂志并不多，搜集也不可能完备，而且时间匆促，我也来不及和作者通信商讨集子如何编排。倘使作者在工作的余暇能够见到我代他编成的这本小书，还望他原谅我工作的草率。

1939年8月在香港。

《三月天》*后记

这个集子是我代屈曲夫编的。前年作者去北方时，我们一起在一个朋友家里吃过一顿晚饭，以后我便没有机会再见到他，也得不到他的消息。前年年底那个和他同去北方的朋友回到上海，我问起屈曲夫的消息，他

* 《三月天》：屈曲夫著。一九四〇年十月上海文化生活出版社出版。

说屈曲夫一个人到河北去了。去年我又在武汉遇见那个朋友，又谈到屈曲夫。这一次朋友却担心着屈曲夫的安全。他说他前年和屈曲夫分手以后，一年来向各处打听屈曲夫的下落，却始终得不到回音。

我没有朋友的那种想法。我看，得不到一个友人的音信，在这个时期原是很平常的。有的人忙于工作，有的人没有固定的歇脚的地方。一切都在动，我们常常追赶不上。我们想念朋友，得不到音信，朋友们也难知道我们的行止，彼此打听消息，有时简直是在互相追逐，谁也追不上谁。但是有一天无意间两个朋友在一个新地方遇到了。“你还活着？”“你也还活着？”彼此高兴地望着发问，才知道以前的焦虑全是多余。这是多么快乐的时刻！

我想，有一天我也会这样地同屈曲夫见面的。

夜已深，我翻看旧存的《文季月刊》，看到屈曲夫的名字，眼前浮现了他那军人似的面貌，对他和散处在各地的友人，不觉起了深的怀念。我这时百感交集，不能成眠，便花了一些功夫，编成这本屈曲夫的短篇集。

这个工作我做得草率，文章的搜集也不完全，有一天集子传到作者的手中，他感到不满意的时候，还请他原谅我。

1939年8月在上海。

《鱼儿坳》*后记

这是世弥的第三创作集。散文三则都是在作者生前发表过的；《鱼儿坳》和《贼》两个短篇则是尚待整理的遗作。为了编辑这本集子，我读过世弥遗留下来的全部稿件。在《生人妻》和《地上的一角》以外的成篇的作

* 《鱼儿坳》：罗淑著。一九四一年八月上海文化生活出版社出版。

品都收在这里了。

《鱼儿坳》和《贼》都是被侮辱者与被损害者的故事，但显然都是未完的作品。前者好像还是一个长篇中的一段，和《地上的一角》、《阿牛》、《井工》三篇都有关联，是同样的背景和人物，而且拿这小说的第二节与《地上的一角》的第二节对照，连文句也是大同小异的。这似乎需要删改。但是我珍视作者的原著，我觉得让这重复的处所保留着使《鱼儿坳》一篇显得较为完整。这里说“较为完整”，读者当然明白我的意思，我现在做的只是整理的工作，我不会在世弥的遗稿上面增加什么。作者的早逝的确是一个不可补偿的损失。倘使作者能够多活十年，她一定会给我们留下几部描写四川盐场生活的杰作。

最近我在成都到过世弥的墓地，一抔黄

土，一块石碑，一丛矮树编的短篱，这里埋葬了一个年轻可爱的生命，也埋葬了友情，尊敬，和许多朋友的期望。我想起了四年前在上海西站分别时的情景，仿佛还是昨天的事。在悲痛的回忆中，我几次暗暗地问自己：难道生命就是这么脆弱，死的魔手随意一动便可以毁掉一切？

现在我应该说，死并没有毁掉一切。生命也不是在一瞬间就可以毁灭的东西。如今我们谈起世弥，还仿佛她活在我们中间。她的名字和她的面影至今还系住许多朋友的心。今天在这窗外细雨如丝的春三月的寒夜，摊开她的遗稿，那些颇为潦草的字迹还在诉说一颗善良仁爱的女性的心的跳动。甚至躺在最后的安息地上，她还发出正义的喊声，为那些被侮辱者与被损害者呼吁。我们能说她已经死去了么？她的作品活下去，她的影响长留，则她的生命就没有死亡，而且也永远不会死亡。

1941年3月在重庆沙坪坝。